사고력 연산

저자
왕수학연구소장 **박명전**
에듀왕부설초등교육연구소장 **김윤수**

- 기초 연산 능력 증진
- 사고를 통한 연산 능력 증진
- 사고력과 연산 능력 향상의 이중 효과

3학년이 꼭 알아야 할 사고력연산

사고력연산 구성

- 1~2학년은 각각 1권씩, 3~6학년은 각각 2권씩으로 구성되어 있습니다.
- 개념 연산의 기초개념과 원리를 다루었습니다.
- 사고력 기르기 Step 1 약간의 사고를 필요로 하는 연산 문제를 다루었습니다.
- 사고력 기르기 Step 2 좀 더 발전적인 사고를 필요로 하는 연산 문제를 다루었습니다.
- 실력 점검 한 단원을 마무리하는 문제를 다루었습니다.

사고력연산 특징

- 연산의 원리를 알고 계산할 수 있도록 구성하였습니다.
- 기초 연산 능력을 충분히 키울 수 있도록 구성하였습니다.
- 연산 능력과 사고력 향상이 동시에 이루어질 수 있는 문제를 다루었습니다.
- 사고를 통해 연산을 하는 과정에서 연산 능력이 저절로 향상될 수 있도록 구성하였습니다.

Contents

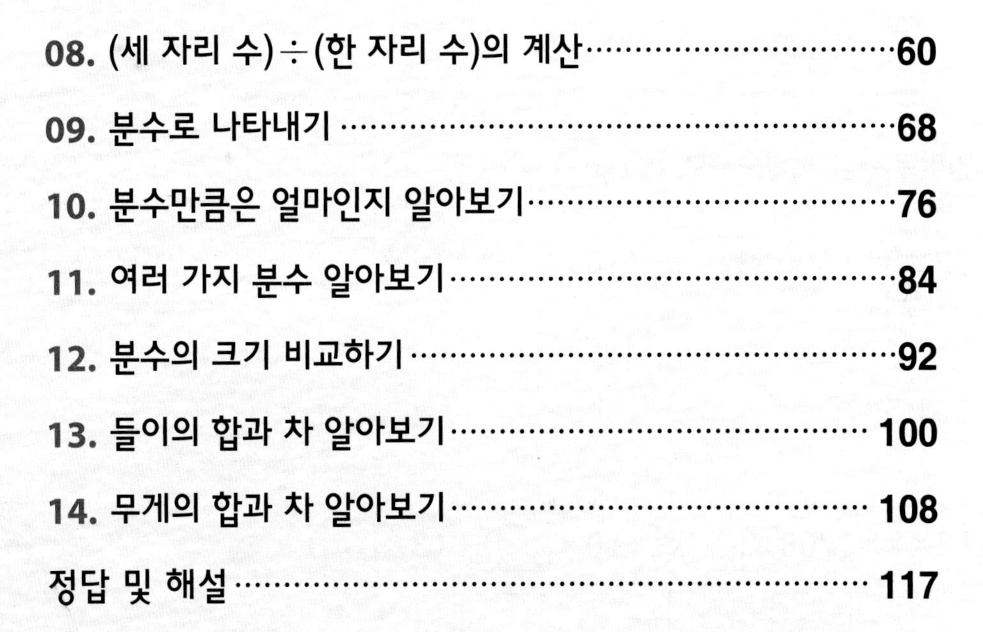

사고력연산
3학년

01 올림이 없는 (세 자리 수)×(한 자리 수)의 계산

개념

• 132×2의 계산

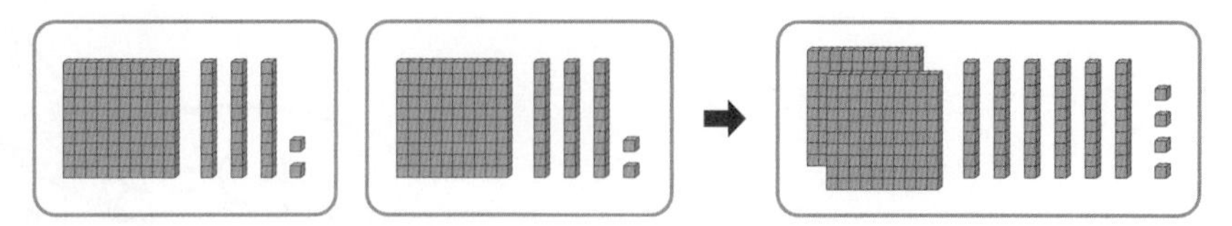

① 백 모형은 $1 \times 2 = 2$(개), 십 모형은 $3 \times 2 = 6$(개), 일 모형은 $2 \times 2 = 4$(개)입니다.

② 백 모형이 2개, 십 모형이 6개, 일 모형이 4개이므로 $200 + 60 + 4 = 264$입니다.

$$\begin{array}{r} 1\,3\,2 \\ \times \quad\; 2 \\ \hline \end{array} \Rightarrow \begin{array}{r} 1\,3\,2 \\ \times \quad\; 2 \\ \hline 4 \end{array} \Rightarrow \begin{array}{r} 1\,3\,2 \\ \times \quad\; 2 \\ \hline 6\,4 \end{array} \Rightarrow \begin{array}{r} 1\,3\,2 \\ \times \quad\; 2 \\ \hline 2\,6\,4 \end{array}$$

$2 \times 2 = 4$ $3 \times 2 = 6$ $1 \times 2 = 2$

□ 안에 알맞은 수를 써넣으시오. (01~04)

01 $112 \times 3 = (100 \times \square) + (10 \times \square) + (2 \times \square)$

$= \square + \square + \square = \square$

02 $213 \times 2 = (200 \times \square) + (10 \times \square) + (3 \times \square)$

$= \square + \square + \square = \square$

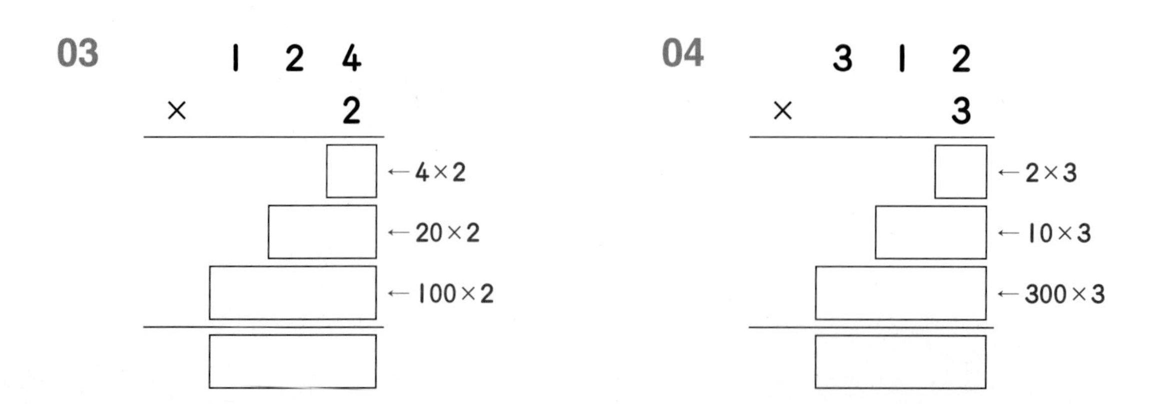

□ 안에 알맞은 수를 써넣으시오. (05~06)

05 $134 \times 2 \rightarrow$ $100 \times 2 = \square$, $30 \times 2 = \square$, $4 \times 2 = \square$ $\rightarrow 134 \times 2 = \square$

06 $221 \times 3 \rightarrow$ $200 \times 3 = \square$, $20 \times 3 = \square$, $1 \times 3 = \square$ $\rightarrow 221 \times 3 = \square$

계산을 하시오. (07~18)

07 $\begin{array}{r} 114 \\ \times \quad 2 \\ \hline \end{array}$

08 $\begin{array}{r} 312 \\ \times \quad 2 \\ \hline \end{array}$

09 $\begin{array}{r} 423 \\ \times \quad 2 \\ \hline \end{array}$

10 $\begin{array}{r} 243 \\ \times \quad 2 \\ \hline \end{array}$

11 $\begin{array}{r} 123 \\ \times \quad 3 \\ \hline \end{array}$

12 $\begin{array}{r} 122 \\ \times \quad 4 \\ \hline \end{array}$

13 144×2

14 332×3

15 231×3

16 212×4

17 221×4

18 231×3

사고력 기르기

□ 안에 알맞은 숫자를 써넣으시오. (01~09)

01

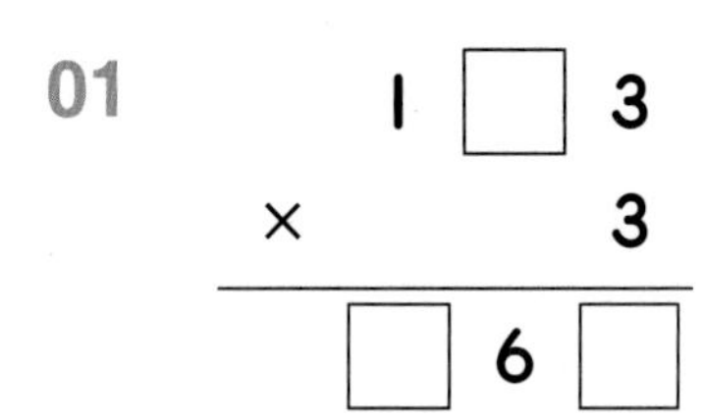

$$\begin{array}{r} 1\,\square\,3 \\ \times\quad\ 3 \\ \hline \square\,6\,\square \end{array}$$

02

$$\begin{array}{r} 2\,\square\,2 \\ \times\quad\ 3 \\ \hline \square\,9\,\square \end{array}$$

03

$$\begin{array}{r} 3\,\square\,1 \\ \times\quad\ 3 \\ \hline \square\,6\,\square \end{array}$$

04

$$\begin{array}{r} \square\,2\,3 \\ \times\quad\ \square \\ \hline 9\,\square\,9 \end{array}$$

05

$$\begin{array}{r} \square\,1\,2 \\ \times\quad\ \square \\ \hline 8\,\square\,8 \end{array}$$

06

$$\begin{array}{r} \square\,2\,1 \\ \times\quad\ \square \\ \hline 6\,\square\,2 \end{array}$$

07

$$\begin{array}{r} 1\,2\,\square \\ \times\quad\ \square \\ \hline 4\,\square\,8 \end{array}$$

08

$$\begin{array}{r} 2\,2\,\square \\ \times\quad\ \square \\ \hline 6\,\square\,6 \end{array}$$

09

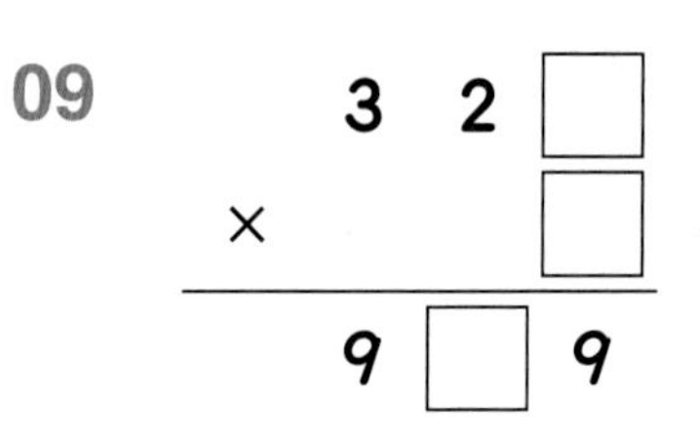

$$\begin{array}{r} 3\,2\,\square \\ \times\quad\ \square \\ \hline 9\,\square\,9 \end{array}$$

곱셈식이 성립하도록 ♥와 ☆에 알맞은 숫자를 구하시오. (단, 서로 다른 모양은 서로 다른 숫자입니다.) (10~11)

10

$$\begin{array}{r} ♥\,1\,2 \\ \times\quad\ ♥ \\ \hline ☆\,♥\,6 \end{array}$$

♥=□ ☆=□

11

$$\begin{array}{r} ♥\,♥\,☆ \\ \times\quad\ ☆ \\ \hline 6\,6\,4 \end{array}$$

♥=□ ☆=□

주어진 곱셈식에서 ♥는 1보다 큰 숫자입니다. 올림이 없는 여러 가지 곱셈식을 만들어 보시오. (12~13)

12

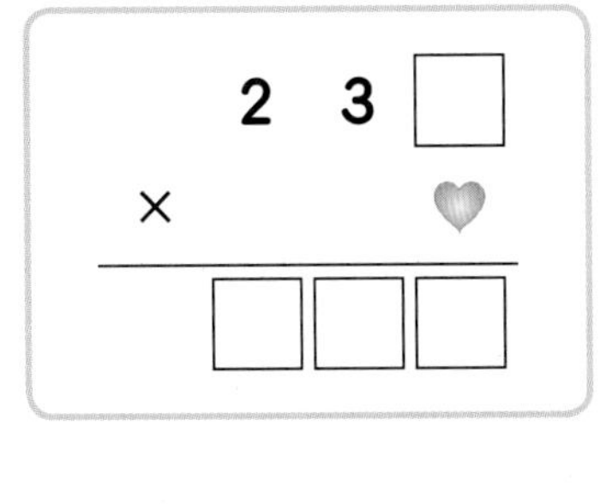

$$\begin{array}{r} 2\;3\;\square \\ \times\quad\;\; \heartsuit \\ \hline \square\square\square \end{array}$$

$$\begin{array}{r} 2\;3\;\square \\ \times\quad\;\; \square \\ \hline \square\square\square \end{array} \qquad \begin{array}{r} 2\;3\;\square \\ \times\quad\;\; \square \\ \hline \square\square\square \end{array}$$

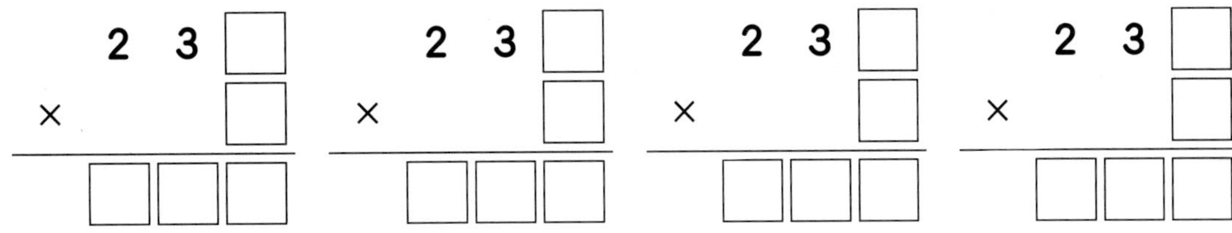

$$\begin{array}{r} 2\;3\;\square \\ \times\quad\;\; \square \\ \hline \square\square\square \end{array} \qquad \begin{array}{r} 2\;3\;\square \\ \times\quad\;\; \square \\ \hline \square\square\square \end{array} \qquad \begin{array}{r} 2\;3\;\square \\ \times\quad\;\; \square \\ \hline \square\square\square \end{array} \qquad \begin{array}{r} 2\;3\;\square \\ \times\quad\;\; \square \\ \hline \square\square\square \end{array}$$

$$\begin{array}{r} 2\;3\;\square \\ \times\quad\;\; \square \\ \hline \square\square\square \end{array} \qquad \begin{array}{r} 2\;3\;\square \\ \times\quad\;\; \square \\ \hline \square\square\square \end{array} \qquad \begin{array}{r} 2\;3\;\square \\ \times\quad\;\; \square \\ \hline \square\square\square \end{array}$$

13

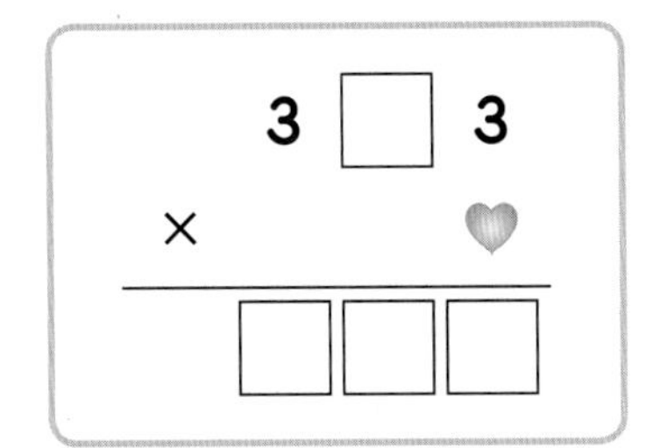

$$\begin{array}{r} 3\;\square\;3 \\ \times\quad\;\; \heartsuit \\ \hline \square\square\square \end{array}$$

$$\begin{array}{r} 3\;\square\;3 \\ \times\quad\;\; \square \\ \hline \square\square\square \end{array} \qquad \begin{array}{r} 3\;\square\;3 \\ \times\quad\;\; \square \\ \hline \square\square\square \end{array}$$

$$\begin{array}{r} 3\;\square\;3 \\ \times\quad\;\; \square \\ \hline \square\square\square \end{array} \qquad \begin{array}{r} 3\;\square\;3 \\ \times\quad\;\; \square \\ \hline \square\square\square \end{array} \qquad \begin{array}{r} 3\;\square\;3 \\ \times\quad\;\; \square \\ \hline \square\square\square \end{array} \qquad \begin{array}{r} 3\;\square\;3 \\ \times\quad\;\; \square \\ \hline \square\square\square \end{array}$$

$$\begin{array}{r} 3\;\square\;3 \\ \times\quad\;\; \square \\ \hline \square\square\square \end{array} \qquad \begin{array}{r} 3\;\square\;3 \\ \times\quad\;\; \square \\ \hline \square\square\square \end{array} \qquad \begin{array}{r} 3\;\square\;3 \\ \times\quad\;\; \square \\ \hline \square\square\square \end{array}$$

사고력 기르기

Step 2

주어진 곱셈식이 성립하도록 각 모양에 알맞은 숫자를 구하시오. (단, 서로 다른 모양은 서로 다른 숫자입니다.) (01~05)

01

```
  ♥ ★ ▲
×     ★
-------
  ★ 4 6
```

♥=□ ★=□ ▲=□

02

```
  ♥ ★ ★
×     ♥
-------
  9 ▲ 6
```

♥=□ ★=□ ▲=□

03

```
  ♥ ♥ ★
×     ♥
-------
  ▲ 9 6
```

♥=□ ★=□ ▲=□

04

```
  ♥ ★ ♥
×     ▲
-------
  3 5 ♥
```

♥=□ ★=□ ▲=□

05

```
  ♥ ★ ♥
×     ★
-------
  6 4 ▲
```

♥=□ ★=□ ▲=□

06 주어진 곱셈식을 성립시키는 여러 가지 곱셈식을 만들어 보시오. (단, 서로 다른 모양은 서로 다른 숫자입니다.)

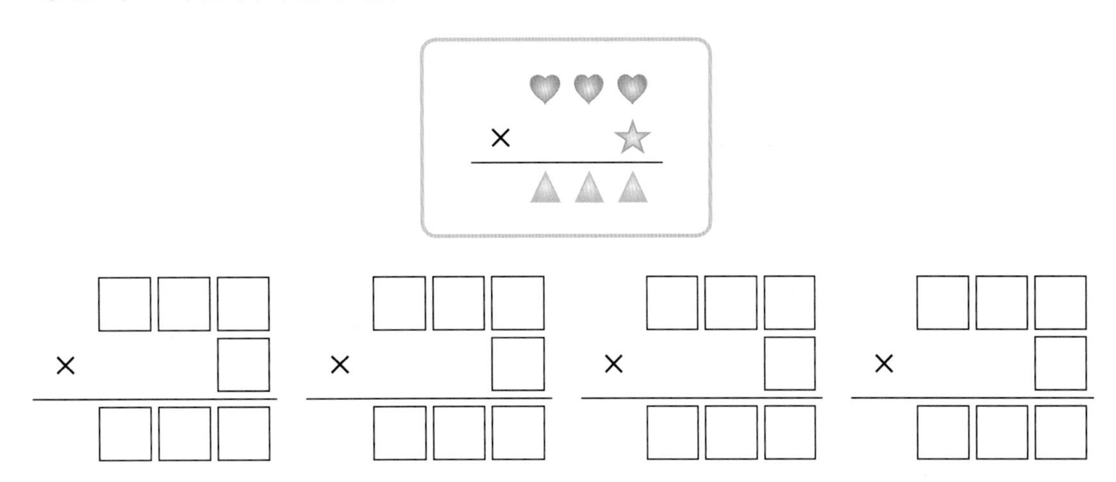

07 주어진 **4**장의 숫자 카드를 모두 사용하여 올림이 없는 여러 가지 곱셈식을 만들고 곱을 구하시오.

2 2 3 4

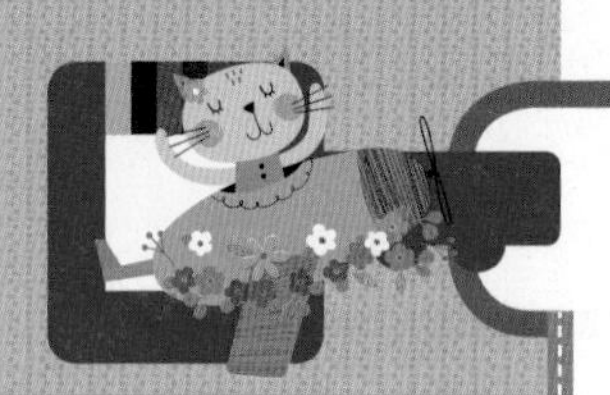

실력 점검

□ 안에 알맞은 수를 써넣으시오. (01~04)

01

$$\begin{array}{r} 2\ 1\ 2 \\ \times \quad\ 3 \\ \hline \square \leftarrow 2\times3 \\ \square \leftarrow 10\times3 \\ \square \leftarrow 200\times3 \\ \hline \square \end{array}$$

02

$$\begin{array}{r} 1\ 4\ 3 \\ \times \quad\ 2 \\ \hline \square \leftarrow 3\times2 \\ \square \leftarrow 40\times2 \\ \square \leftarrow 100\times2 \\ \hline \square \end{array}$$

03 122×4 ➡ $100\times4=\square$, $20\times4=\square$, $2\times4=\square$ ➡ $122\times4=\square$

04 323×3 ➡ $300\times3=\square$, $20\times3=\square$, $3\times3=\square$ ➡ $323\times3=\square$

계산을 하시오. (05~11)

05

$$\begin{array}{r} 2\ 2\ 3 \\ \times \quad\ 2 \\ \hline \end{array}$$

06

$$\begin{array}{r} 2\ 0\ 3 \\ \times \quad\ 3 \\ \hline \end{array}$$

07

$$\begin{array}{r} 1\ 4\ 1 \\ \times \quad\ 2 \\ \hline \end{array}$$

08 321×3

09 423×2

10 123×3

11 243×2

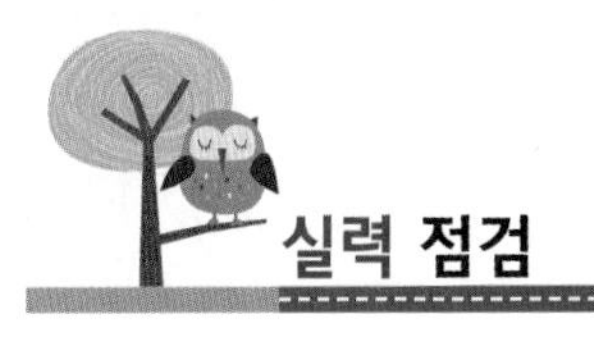

실력 점검

□ 안에 알맞은 숫자를 써넣으시오. (12~14)

12

$$\begin{array}{r} 1\ \square\ 2 \\ \times \quad\quad 3 \\ \hline \square\ 9\ \square \end{array}$$

13

$$\begin{array}{r} 2\ \square\ 2 \\ \times \quad\quad 3 \\ \hline \square\ 9\ \square \end{array}$$

14

$$\begin{array}{r} 2\ 3\ \square \\ \times \quad\quad \square \\ \hline 6\ \square\ 3 \end{array}$$

곱셈식이 성립하도록 ♥와 ☆에 알맞은 숫자를 구하시오. (단, ♥와 ☆은 서로 다른 숫자입니다.) (15~16)

15

$$\begin{array}{r} ♥\ 1\ 2 \\ \times \quad\quad ♥ \\ \hline ☆\ ♥\ 4 \end{array}$$

♥=□ ☆=□

16

$$\begin{array}{r} ♥\ ☆\ ♥ \\ \times \quad\quad ☆ \\ \hline 6\ 4\ 6 \end{array}$$

♥=□ ☆=□

곱셈식이 성립하도록 각 모양에 알맞은 숫자를 구하시오. (단, 서로 다른 모양은 서로 다른 숫자입니다.) (17~18)

17

$$\begin{array}{r} ♥\ ☆\ ▲ \\ \times \quad\quad ♥ \\ \hline 4\ ♥\ 6 \end{array}$$

♥=□ ☆=□ ▲=□

18

$$\begin{array}{r} ♥\ ☆\ ▲ \\ \times \quad\quad ☆ \\ \hline ☆\ 9\ 6 \end{array}$$

♥=□ ☆=□ ▲=□

02 올림이 1번 있는 (세 자리 수)×(한 자리 수)의 계산

개념

• 126×2의 계산

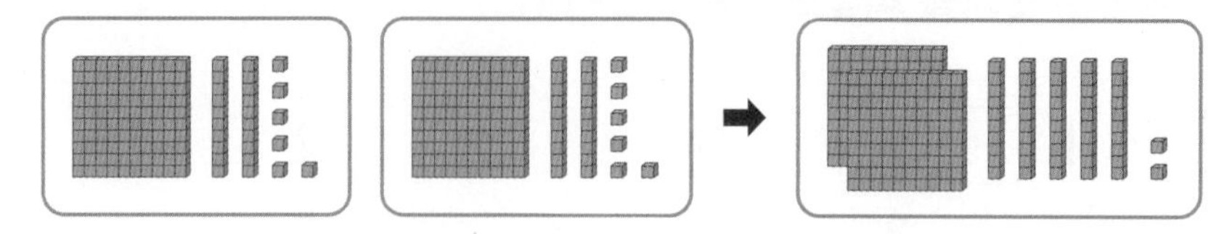

$$126\times2=(100\times2)+(20\times2)+(6\times2)$$
$$=200+40+12=252$$

$$\begin{array}{r} 1\ 2\ 6 \\ \times\quad\ \ 2 \\ \hline \end{array} \Rightarrow \begin{array}{r} {}^{1}\ \\ 1\ 2\ 6 \\ \times\quad\ \ 2 \\ \hline 2 \end{array} \Rightarrow \begin{array}{r} {}^{1}\ \ \ \\ 1\ 2\ 6 \\ \times\quad\ \ 2 \\ \hline 5\ 2 \end{array} \Rightarrow \begin{array}{r} {}^{1}\ \ \ \\ 1\ 2\ 6 \\ \times\quad\ \ 2 \\ \hline 2\ 5\ 2 \end{array}$$

➡ 각 자리의 곱이 10보다 크거나 같으면 윗자리에 올림한 수를 작게 쓰고, 윗자리의 곱에 더합니다.

□ 안에 알맞은 수를 써넣으시오. (01~04)

01 $216\times3=(200\times\square)+(10\times\square)+(6\times\square)$
$=\square+\square+\square=\square$

02 $512\times4=(500\times\square)+(10\times\square)+(2\times\square)$
$=\square+\square+\square=\square$

03

$$\begin{array}{r} 1\ 4\ 8 \\ \times\quad\ \ 2 \\ \hline \square & \leftarrow 8\times2 \\ \square & \leftarrow 40\times2 \\ \square & \leftarrow 100\times2 \\ \hline \square \end{array}$$

04

$$\begin{array}{r} 2\ 7\ 3 \\ \times\quad\ \ 3 \\ \hline \square & \leftarrow 3\times3 \\ \square & \leftarrow 70\times3 \\ \square & \leftarrow 200\times3 \\ \hline \square \end{array}$$

□ 안에 알맞은 수를 써넣으시오. (05~06)

05 224×4 ➡ [$200\times4=\square$, $20\times4=\square$, $4\times4=\square$] ➡ $224\times4=\square$

06 162×2 ➡ [$100\times2=\square$, $60\times2=\square$, $2\times2=\square$] ➡ $162\times2=\square$

계산을 하시오. (07~18)

07
$$\begin{array}{r} 217 \\ \times \quad 3 \\ \hline \end{array}$$

08
$$\begin{array}{r} 264 \\ \times \quad 2 \\ \hline \end{array}$$

09
$$\begin{array}{r} 312 \\ \times \quad 4 \\ \hline \end{array}$$

10
$$\begin{array}{r} 325 \\ \times \quad 2 \\ \hline \end{array}$$

11
$$\begin{array}{r} 192 \\ \times \quad 3 \\ \hline \end{array}$$

12
$$\begin{array}{r} 423 \\ \times \quad 3 \\ \hline \end{array}$$

13 316×3

14 218×4

15 172×2

16 181×5

17 624×2

18 513×3

사고력 기르기

Step 1

□ 안에 알맞은 숫자를 써넣으시오. (01~09)

01

$$\begin{array}{r} 1\ 2\ \square \\ \times \quad\ \ 4 \\ \hline \square\ 9\ 6 \end{array}$$

02

$$\begin{array}{r} 3\ 2\ \square \\ \times \quad\ \ 2 \\ \hline \square\ 5\ 4 \end{array}$$

03

$$\begin{array}{r} 2\ 2\ \square \\ \times \quad\ \ 3 \\ \hline \square\ \square\ 5 \end{array}$$

04

$$\begin{array}{r} 2\ 5\ 3 \\ \times \quad\ \ \square \\ \hline \square\ \square\ 9 \end{array}$$

05

$$\begin{array}{r} 1\ 4\ 2 \\ \times \quad\ \ \square \\ \hline \square\ \square\ 8 \end{array}$$

06

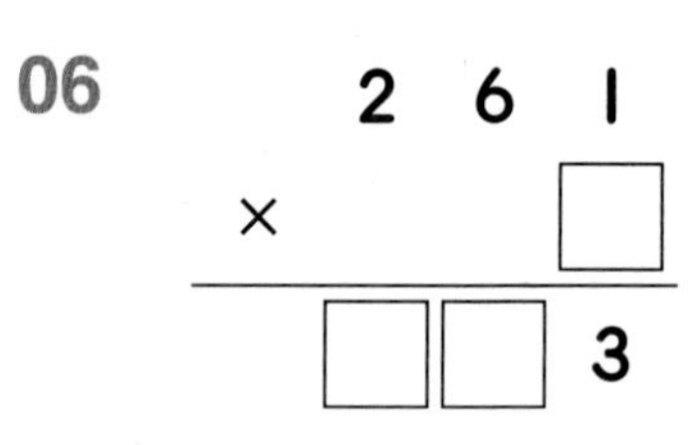

$$\begin{array}{r} 2\ 6\ 1 \\ \times \quad\ \ \square \\ \hline \square\ \square\ 3 \end{array}$$

07

$$\begin{array}{r} 5\ 2\ 3 \\ \times \quad\ \ \square \\ \hline \square\ \square\ 4\ 6 \end{array}$$

08

$$\begin{array}{r} 7\ 1\ 2 \\ \times \quad\ \ \square \\ \hline \square\ \square\ 4\ 8 \end{array}$$

09

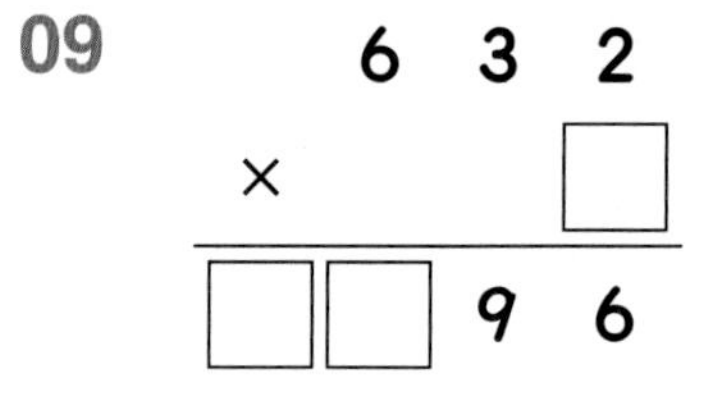

$$\begin{array}{r} 6\ 3\ 2 \\ \times \quad\ \ \square \\ \hline \square\ \square\ 9\ 6 \end{array}$$

주어진 두 곱셈식이 성립할 때 세 자리 수 ☆▲■는 얼마인지 구하시오. (단, 같은 모양은 같은 숫자입니다.) (10~11)

10

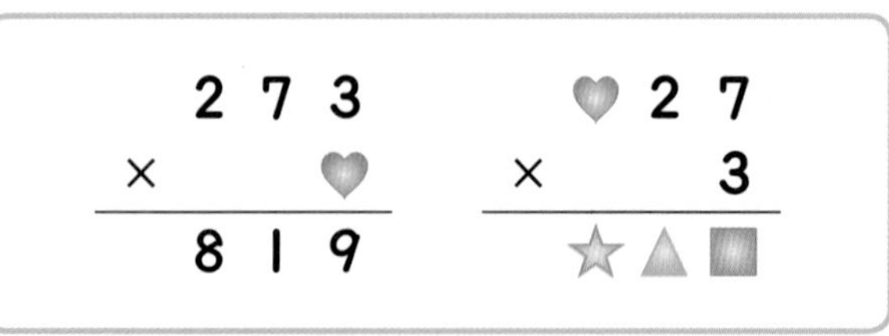

$$\begin{array}{r} 2\ 7\ 3 \\ \times \quad\ \ ♥ \\ \hline 8\ 1\ 9 \end{array} \qquad \begin{array}{r} ♥\ 2\ 7 \\ \times \quad\ \ 3 \\ \hline ★\ ▲\ ■ \end{array}$$

★▲■= □

11

$$\begin{array}{r} 2\ ♥\ 5 \\ \times \quad\ \ 4 \\ \hline 8\ 6\ 0 \end{array} \qquad \begin{array}{r} 3\ ♥\ 8 \\ \times \quad\ \ 3 \\ \hline ★\ ▲\ ■ \end{array}$$

★▲■= □

주어진 식은 올림이 1번 있는 곱셈식입니다. 조건에 맞는 여러 가지 곱셈식을 만들어 보시오.
(단, 서로 다른 모양은 서로 다른 숫자입니다.) (12~14)

12

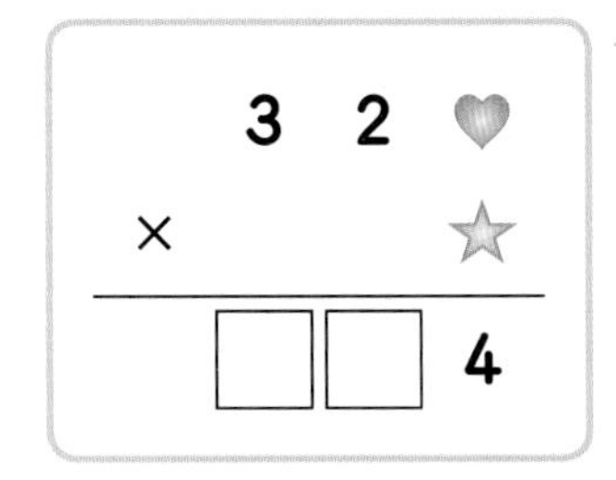

```
    3 2 ♡
×       ☆
---------
  □ □ 4
```

```
    3 2 □
×       □
---------
  □ □ 4
```

```
    3 2 □
×       □
---------
  □ □ 4
```

13

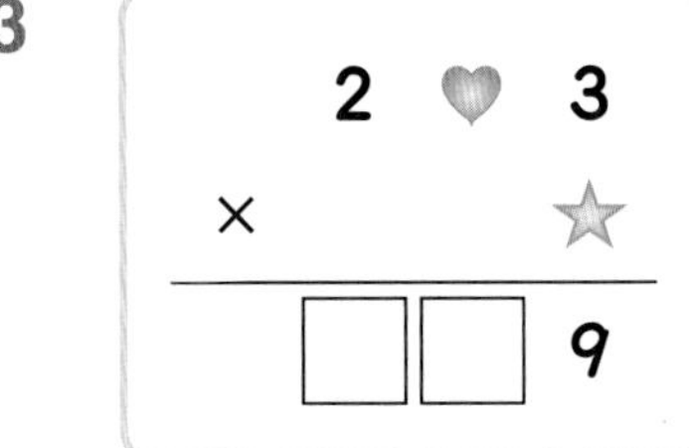

```
    2 ♡ 3
×       ☆
---------
  □ □ 9
```

```
    2 □ 3
×       □
---------
  □ □ 9
```

```
    2 □ 3
×       □
---------
  □ □ 9
```

```
    2 □ 3
×       □
---------
  □ □ 9
```

```
    2 □ 3
×       □
---------
  □ □ 9
```

```
    2 □ 3
×       □
---------
  □ □ 9
```

```
    2 □ 3
×       □
---------
  □ □ 9
```

14

```
    ♡ 3 2
×       ☆
---------
□ □ □ 4
```

```
    □ 3 2
×       □
---------
□ □ □ 4
```

```
    □ 3 2
×       □
---------
□ □ □ 4
```

```
    □ 3 2
×       □
---------
□ □ □ 4
```

```
    □ 3 2
×       □
---------
□ □ □ 4
```

```
    □ 3 2
×       □
---------
□ □ □ 4
```

사고력 기르기

Step 2

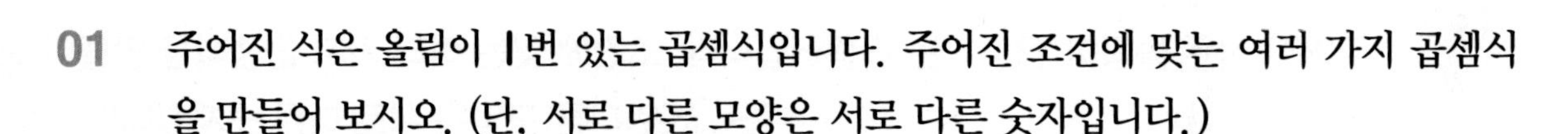

01 주어진 식은 올림이 1번 있는 곱셈식입니다. 주어진 조건에 맞는 여러 가지 곱셈식을 만들어 보시오. (단, 서로 다른 모양은 서로 다른 숫자입니다.)

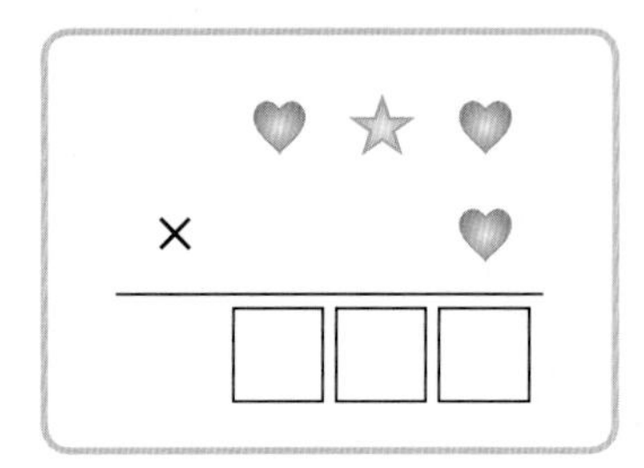
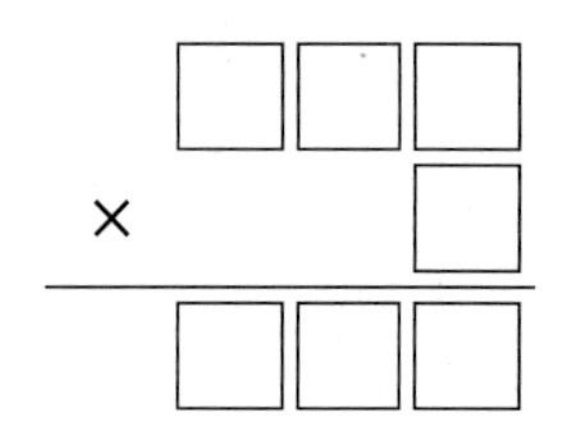
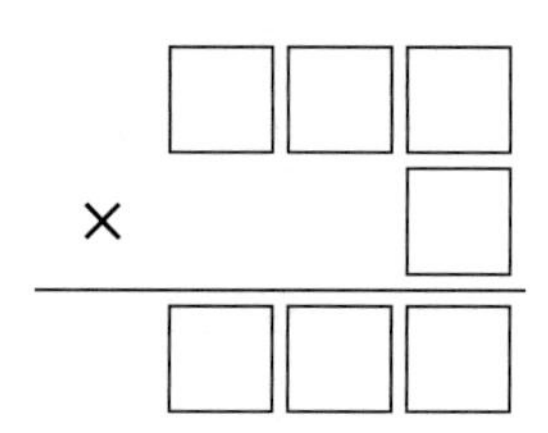

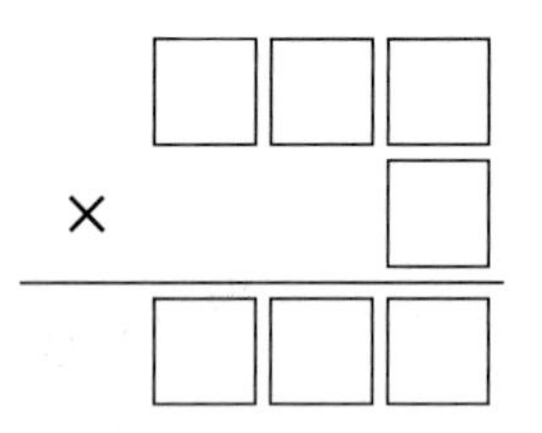
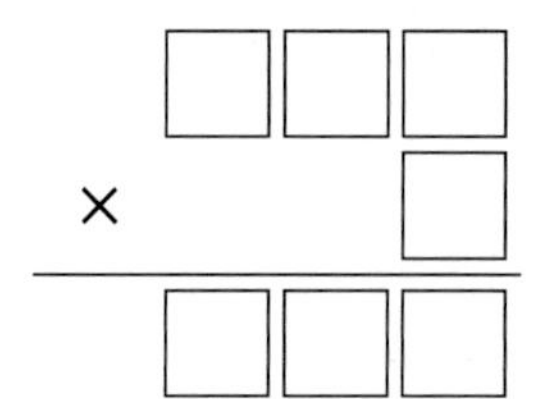
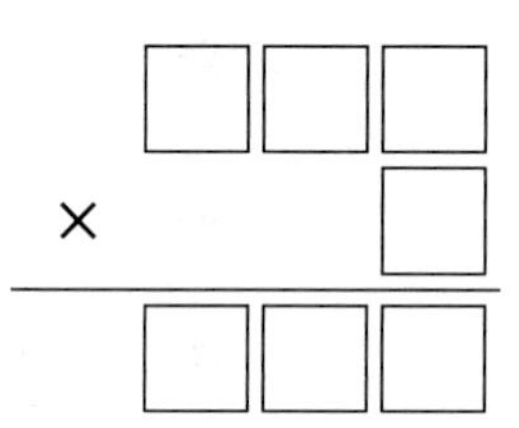

다음 곱셈식이 성립할 때 각 모양에 알맞은 숫자를 구하시오. (02~05)

02

```
   ♥ ★ ★
×      7
---------
 2 ★ ▲ 7
```

♥=□ ★=□ ▲=□

03

```
 ♥ ♥ ★
×    ★
-------
 8 ▲ 6
```

♥=□ ★=□ ▲=□

04

```
   ♥ ★ ▲
×      3
---------
 ▲ 5 6 3
```

♥=□ ★=□ ▲=□

05

```
 ♥ ★ ▲
×    3
-------
 7 ★ 0
```

♥=□ ★=□ ▲=□

보기 와 같은 방법으로 그림을 그려 계산을 해 보시오. (06~09)

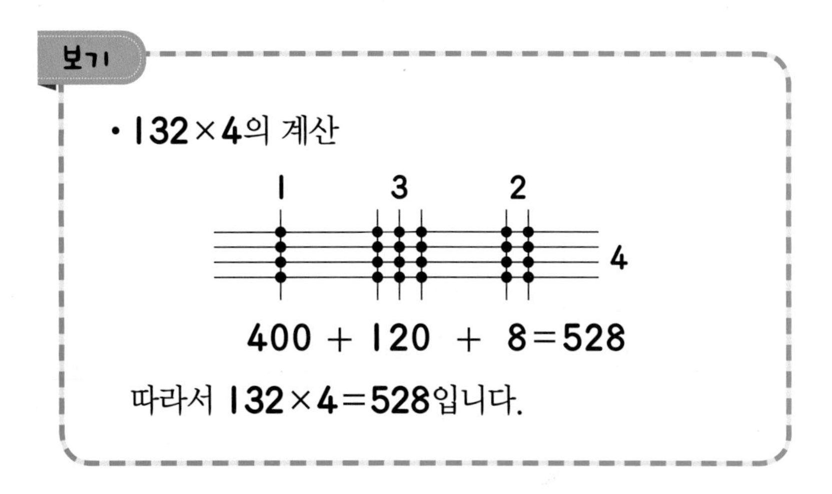

보기
• 132×4의 계산
1 3 2
4
400 + 120 + 8=528
따라서 132×4=528입니다.

06 124×3의 계산

07 312×4의 계산

08 353×2의 계산

09 227×3의 계산

실력 점검

□ 안에 알맞은 수를 써넣으시오. (01~04)

01

$$\begin{array}{r} 2\ 1\ 7 \\ \times \quad\ \ 3 \\ \hline \square \leftarrow 7\times3 \\ \square \leftarrow 10\times3 \\ \square \leftarrow 200\times3 \\ \hline \square \end{array}$$

02

$$\begin{array}{r} 2\ 4\ 1 \\ \times \quad\ \ 4 \\ \hline \square \leftarrow 1\times4 \\ \square \leftarrow 40\times4 \\ \square \leftarrow 200\times4 \\ \hline \square \end{array}$$

03 128×3 ➡ [$100\times3=\square$, $20\times3=\square$, $8\times3=\square$] ➡ $128\times3=\square$

04 513×2 ➡ [$500\times2=\square$, $10\times2=\square$, $3\times2=\square$] ➡ $513\times2=\square$

계산을 하시오. (05~11)

05

$$\begin{array}{r} 1\ 2\ 3 \\ \times \quad\ \ 4 \\ \hline \end{array}$$

06

$$\begin{array}{r} 2\ 8\ 1 \\ \times \quad\ \ 3 \\ \hline \end{array}$$

07

$$\begin{array}{r} 9\ 2\ 4 \\ \times \quad\ \ 2 \\ \hline \end{array}$$

08 148×2

09 621×3

10 271×3

11 217×2

□ 안에 알맞은 숫자를 써넣으시오. (12~14)

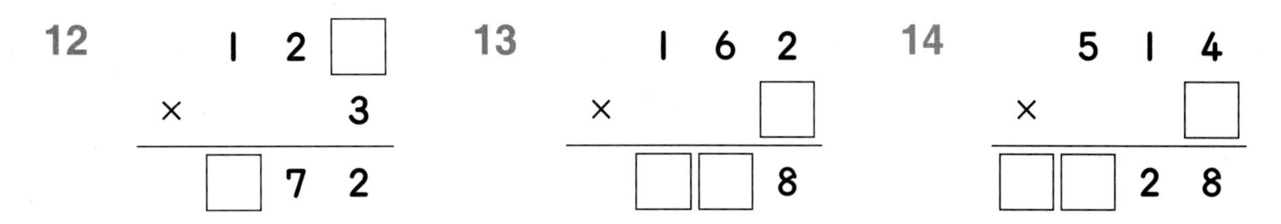

주어진 두 곱셈식이 성립할 때 세 자리 수 ★▲■는 얼마인지 구하시오. (단, 같은 모양은 같은 숫자입니다.) (15~16)

15

$153 \times ♥ = 459$　　$♥46 \times 2 = ★▲■$

(　　　　　　　　)

16

$3♥6 \times 2 = 632$　　$2♥9 \times 4 = ★▲■$

(　　　　　　　　)

주어진 곱셈식이 성립할 때 각 모양에 알맞은 숫자를 구하시오. (단, 같은 모양은 같은 숫자입니다.) (17~18)

17

$♥★▲ \times 2 = ★06$

♥=□　★=□　▲=□

18

$♥♥★ \times ★ = 6▲6$

♥=□　★=□　▲=□

03 올림이 2번 이상 있는 (세 자리 수)×(한 자리 수)의 계산

개념

• 156×2의 계산

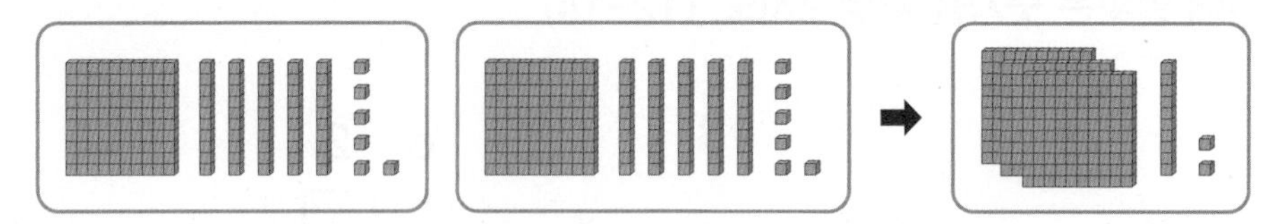

$$156\times2=(100\times2)+(50\times2)+(6\times2)$$
$$=200+100+12=312$$

$$\begin{array}{r} 1\ 5\ 6 \\ \times\quad 2 \\ \hline \end{array} \Rightarrow \begin{array}{r} ^{1}\quad \\ 1\ 5\ 6 \\ \times\quad 2 \\ \hline 2 \end{array} \Rightarrow \begin{array}{r} ^{1\ 1}\quad \\ 1\ 5\ 6 \\ \times\quad 2 \\ \hline 1\ 2 \end{array} \Rightarrow \begin{array}{r} ^{1\ 1}\quad \\ 1\ 5\ 6 \\ \times\quad 2 \\ \hline 3\ 1\ 2 \end{array}$$

➡ 각 자리의 곱이 10보다 크거나 같으면 윗자리에 올림한 수를 작게 쓰고, 윗자리의 곱에 더합니다.

☐ 안에 알맞은 수를 써넣으시오. (01~04)

01 158×3=(100×☐)+(50×☐)+(8×☐)

=☐+☐+☐=☐

02 527×2=(500×☐)+(20×☐)+(7×☐)

=☐+☐+☐=☐

03

$$\begin{array}{r} 2\ 6\ 5 \\ \times\quad 3 \\ \hline \square \\ \square \\ \square \\ \hline \square \end{array}$$

←5×3
←60×3
←200×3

04

$$\begin{array}{r} 6\ 2\ 5 \\ \times\quad 2 \\ \hline \square \\ \square \\ \square \\ \hline \square \end{array}$$

←5×2
←20×2
←600×2

□ 안에 알맞은 수를 써넣으시오. (05~06)

05 317×5 ➡ 300×5=□, 10×5=□, 7×5=□ ➡ 317×5=□

06 386×3 ➡ 300×3=□, 80×3=□, 6×3=□ ➡ 386×3=□

계산을 하시오. (07~18)

07
$$\begin{array}{r} 168 \\ \times\quad 6 \\ \hline \end{array}$$

08
$$\begin{array}{r} 289 \\ \times\quad 4 \\ \hline \end{array}$$

09
$$\begin{array}{r} 274 \\ \times\quad 5 \\ \hline \end{array}$$

10
$$\begin{array}{r} 316 \\ \times\quad 8 \\ \hline \end{array}$$

11
$$\begin{array}{r} 527 \\ \times\quad 3 \\ \hline \end{array}$$

12
$$\begin{array}{r} 664 \\ \times\quad 4 \\ \hline \end{array}$$

13 689×8

14 724×6

15 198×9

16 357×5

17 864×3

18 927×4

사고력 기르기

Step 1

□ 안에 알맞은 숫자를 써넣어 곱셈식을 완성하시오. (01~09)

01

```
    3 2 □
×       4
---------
□ □ 9 6
```

02

```
    2 5 □
×       5
---------
□ □ 8 0
```

03

```
    4 1 □
×       6
---------
□ □ 0 2
```

04

```
    5 □ 7
×       4
---------
□ □ 2 8
```

05

```
    6 □ 4
×       3
---------
□ □ 2 2
```

06

```
    4 □ 3
×       7
---------
□ □ 6 1
```

07

```
    □ 2 3
×       5
---------
2 1 □ □
```

08

```
    □ 7 2
×       6
---------
3 4 □ □
```

09

```
    □ 5 9
×       2
---------
1 7 □ □
```

다음 곱셈식이 성립할 때 주어진 식의 곱을 구하시오. (10~13)

10

```
    2 7 ♥
×       6
---------
☆ △ 3 8
```

☆△♥×△=□

11

```
    ♥ 7 2
×       ☆
---------
3 8 △ 0
```

♥☆△×☆=□

12

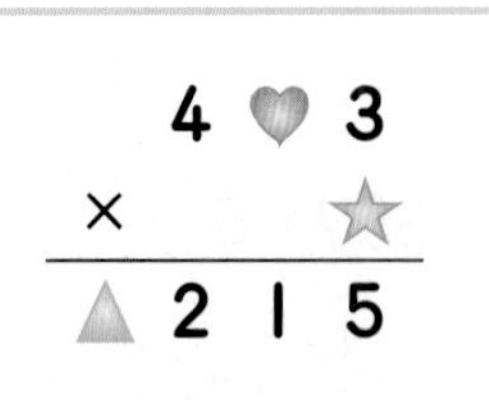

☆♥△×♥=□

13

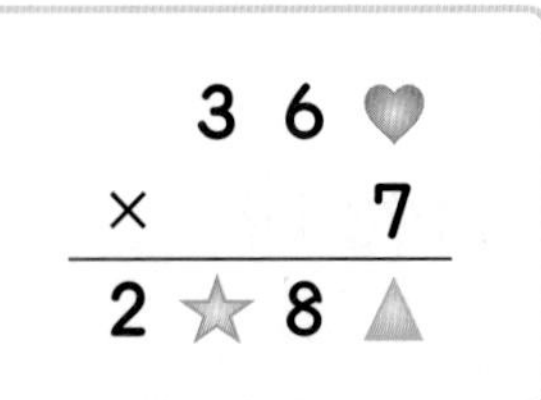

☆△♥×△=□

보기 를 참고하여 2가지 방법으로 곱을 구해 보시오. (14~15)

보기

• 585×7의 계산

방법 1

$585\times7=(500+80+5)\times7$
$=500\times7+80\times7+5\times7$
$=3500+560+35$
$=4095$

방법 2

$585\times7=(600-15)\times7$
$=600\times7-15\times7$
$=4200-105$
$=4095$

14 392×6의 계산

15 487×4의 계산

주어진 곱셈식을 성립시키는 여러 가지 곱셈식을 만들어 보시오. (단, ♥ > ☆ > ▲ 입니다.) (01~02)

01

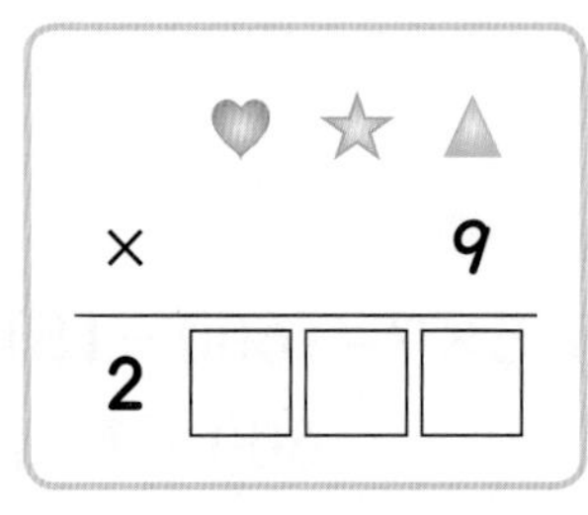

$$\begin{array}{r} ♥\ ☆\ ▲ \\ \times \quad\quad 9 \\ \hline 2\ □\ □\ □ \end{array}$$

□□□ × 9 = 2□□□	□□□ × 9 = 2□□□	□□□ × 9 = 2□□□

02

$$\begin{array}{r} ♥\ ☆\ ▲ \\ \times \quad\quad 7 \\ \hline 4\ 4\ □\ □ \end{array}$$

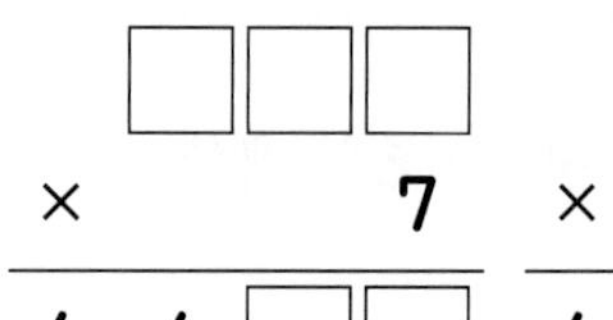

□□□ × 7 = 44□□	□□□ × 7 = 44□□	□□□ × 7 = 44□□
□□□ × 7 = 44□□	□□□ × 7 = 44□□	□□□ × 7 = 44□□

두 곱셈식이 성립하도록 ♥, ◆, ♠, ♣에 알맞은 숫자를 구하시오. (03~04)

03

$$\begin{array}{r} ♥\ ◆\ 3 \\ \times \quad\quad 9 \\ \hline 2\ 1\ ♠\ 7 \end{array} \qquad \begin{array}{r} 4\ ♥\ ◆ \\ \times \quad\quad 3 \\ \hline 1\ 2\ ♣\ 2 \end{array}$$

♥ = □ ◆ = □

♠ = □ ♣ = □

04

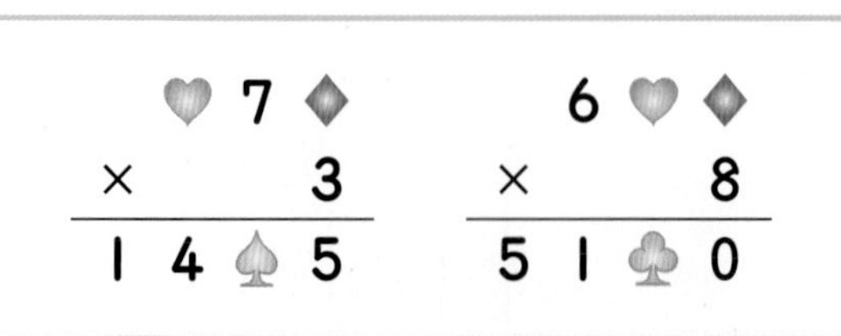

$$\begin{array}{r} ♥\ 7\ ◆ \\ \times \quad\quad 3 \\ \hline 1\ 4\ ♠\ 5 \end{array} \qquad \begin{array}{r} 6\ ♥\ ◆ \\ \times \quad\quad 8 \\ \hline 5\ 1\ ♣\ 0 \end{array}$$

♥ = □ ◆ = □

♠ = □ ♣ = □

주어진 숫자 카드에 쓰인 숫자만 □ 안에 써넣어 곱셈식을 완성하시오. (05~08)

05 [1] [9]

$$\begin{array}{r} \square\square\square \\ \times \quad \square \\ \hline \square\,7\,\square\,1 \end{array}$$

06 [3] [9]

$$\begin{array}{r} \square\square\square \\ \times \quad \square \\ \hline \square\,5\,\square\,1 \end{array}$$

07 [5] [9]

$$\begin{array}{r} \square\square\square \\ \times \quad \square \\ \hline \square\,3\,\square\,1 \end{array}$$

08 [8] [9]

$$\begin{array}{r} \square\square\square \\ \times \quad \square \\ \hline \square\,0\,\square\,1 \end{array}$$

09 □ 안에 2부터 9까지의 숫자를 한 번씩 써넣어 계산 결과를 가장 크게 하려고 합니다. □ 안에 알맞은 숫자를 써넣고 계산해 보시오.

$\square\square\square \times \square + \square\square\square \times \square = \square$

10 □ 안에 1부터 8까지의 숫자를 한 번씩 써넣어 계산 결과를 가장 작게 하려고 합니다. □ 안에 알맞은 숫자를 써넣고 계산해 보시오.

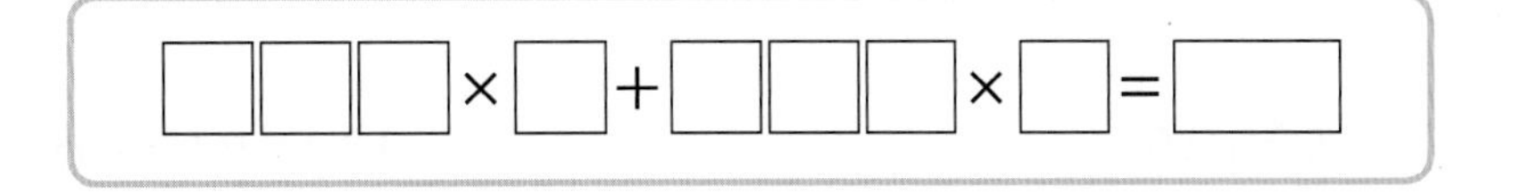

실력 점검

□ 안에 알맞은 수를 써넣으시오. (01~04)

01
```
    2 4 7
×       3
---------
        □
      □
      □
---------
      □
```

02
```
    5 4 8
×       5
---------
        □
      □
      □
---------
      □
```

03 137×8 ➡ [100×8=□, 30×8=□, 7×8=□] ➡ 137×8=□

04 253×7 ➡ [200×7=□, 50×7=□, 3×7=□] ➡ 253×7=□

계산을 하시오. (05~11)

05
```
  6 1 3
×     8
```

06
```
  9 7 6
×     4
```

07
```
  5 6 4
×     3
```

08 726×4

09 876×2

10 476×9

11 519×6

실력 점검

□ 안에 알맞은 숫자를 써넣으시오. (12~14)

12

$$\begin{array}{r} 3\ 6\ \square \\ \times \quad\ \ 2 \\ \hline \square\ \square\ 0 \end{array}$$

13

$$\begin{array}{r} 4\ \square\ 7 \\ \times \quad\ \ 3 \\ \hline \square\ \square\ 1\ 1 \end{array}$$

14

$$\begin{array}{r} \square\ 3\ 6 \\ \times \quad\ \ 7 \\ \hline 3\ 0\ \square\ \square \end{array}$$

보기 를 참고하여 2가지 방법으로 곱을 구해 보시오. (15~16)

보기

• 497×6의 계산

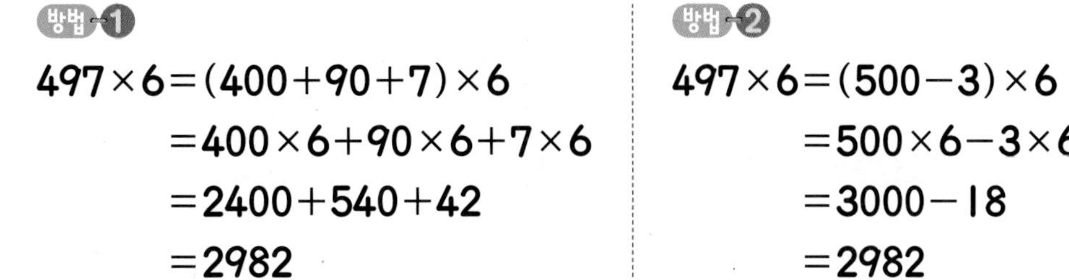

방법 1

$497\times6=(400+90+7)\times6$
$=400\times6+90\times6+7\times6$
$=2400+540+42$
$=2982$

방법 2

$497\times6=(500-3)\times6$
$=500\times6-3\times6$
$=3000-18$
$=2982$

15 695×8의 계산

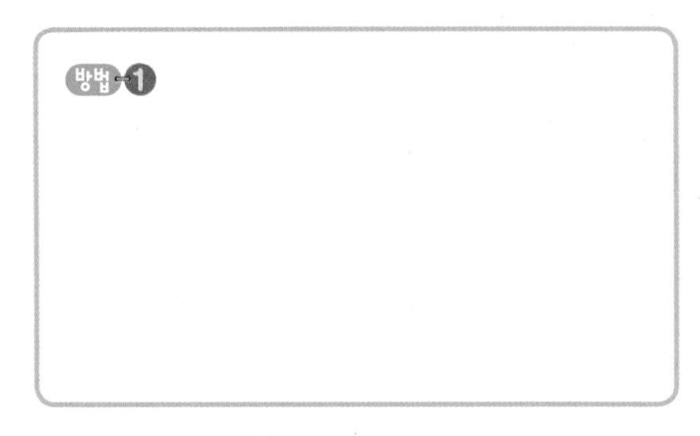

16 792×5의 계산

04 (몇십)×(몇십), (몇십몇)×(몇십)의 계산

개념

• 20×30의 계산

$$2\times3=6 \Rightarrow 20\times30=600$$

(2 → 20: 10배, 3 → 30: 10배, 6 → 600: 100배)

(몇)×(몇)을 계산하고 곱의 뒤에 0을 2개 더 붙입니다.

• 24×20의 계산

$$24\times2=48 \Rightarrow 24\times20=480$$

(2 → 20: 10배, 48 → 480: 10배)

(몇십몇)×(몇)을 계산하고 곱의 뒤에 0을 1개 붙입니다.

□ 안에 알맞은 수를 써넣으시오. (01~06)

01 $3\times4=\square$

↓10배 ↓10배 ↓100배

$30\times40=\square$

02 $16\times3=\square$

↓10배 ↓10배

$16\times30=\square$

03 $4\times5=\square$

↓10배 ↓10배 ↓100배

$40\times50=\square$

04 $27\times5=\square$

↓10배 ↓10배

$27\times50=\square$

05 $6\times7=\square$

↓10배 ↓10배 ↓100배

$60\times70=\square$

06 $34\times4=\square$

↓10배 ↓10배

$34\times40=\square$

보기 와 같이 계산하려고 합니다. □ 안에 알맞은 수를 써넣으시오. (07~10)

보기

$20 \times 40 = 800$ $15 \times 30 = 450$

07 $40 \times 60 = \square 00$

08 $60 \times 30 = \square 00$

09 $18 \times 20 = \square 0$

10 $57 \times 30 = \square 0$

계산을 하시오. (11~22)

11 $\begin{array}{r} 70 \\ \times\ 20 \\ \hline \end{array}$

12 $\begin{array}{r} 40 \\ \times\ 90 \\ \hline \end{array}$

13 $\begin{array}{r} 50 \\ \times\ 70 \\ \hline \end{array}$

14 $\begin{array}{r} 42 \\ \times\ 30 \\ \hline \end{array}$

15 $\begin{array}{r} 64 \\ \times\ 20 \\ \hline \end{array}$

16 $\begin{array}{r} 43 \\ \times\ 50 \\ \hline \end{array}$

17 50×50

18 47×30

19 70×80

20 52×40

21 90×60

22 63×70

사고력 기르기

주어진 곱셈식에서 ♥와 ☆은 0부터 9까지의 숫자일 때, 조건에 맞는 여러 가지 곱셈식을 만들어 보시오. (01~02)

01

♥0×☆0=1800

□0×□0=1800　　□0×□0=1800

□0×□0=1800　　□0×□0=1800

02

♥0×☆0=2400

□0×□0=2400　　□0×□0=2400

□0×□0=2400　　□0×□0=2400

주어진 곱셈식에서 ♥, ☆, ♠은 0부터 9까지의 숫자일 때, 조건을 만족하는 여러 가지 곱셈식을 만들어 보시오. (03~04)

03

♥☆×♠0=1500

□□×□0=1500　　□□×□0=1500

□□×□0=1500　　□□×□0=1500

04

♥☆×♠0=3600

□□×□0=3600　　□□×□0=3600

□□×□0=3600　　□□×□0=3600

□□×□0=3600

05 3, 5, 7, 9 의 숫자 카드 중 **2**장을 뽑아 (몇십)×(몇십)의 곱셈식을 완성하고 계산 결과가 가장 큰 곱과 가장 작은 곱을 각각 구해 보시오. (단, 곱하는 수는 곱해지는 수보다 큽니다.)

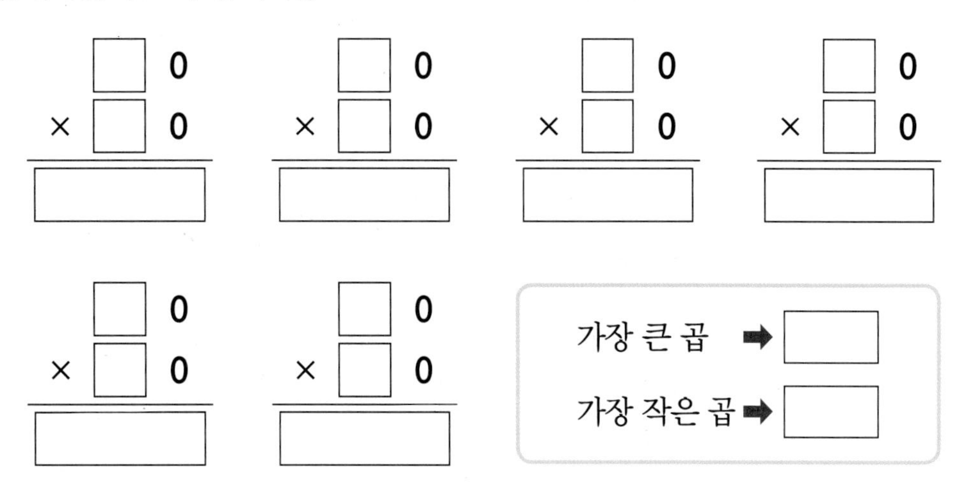

06 2, 4, 6 의 숫자 카드를 한 번씩 사용하여 (몇십몇)×(몇십)의 곱셈식을 완성하고 계산 결과가 가장 큰 곱과 가장 작은 곱을 각각 구해 보시오.

□□ × □0

□□ × □0

□□ × □0

□□ × □0

□□ × □0

□□ × □0

가장 큰 곱 ➡ □

가장 작은 곱 ➡ □

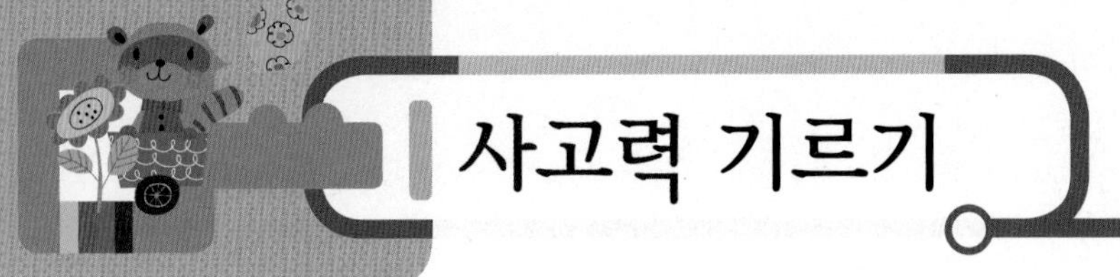

사고력 기르기

Step 2

01 오른쪽과 같이 (몇십)×(몇십)의 곱셈식에서 ♥>★이고 ♥0×★0>3900인 곱셈식을 알아보려고 합니다. 서로 다른 곱셈식을 만들고 곱을 구하시오.

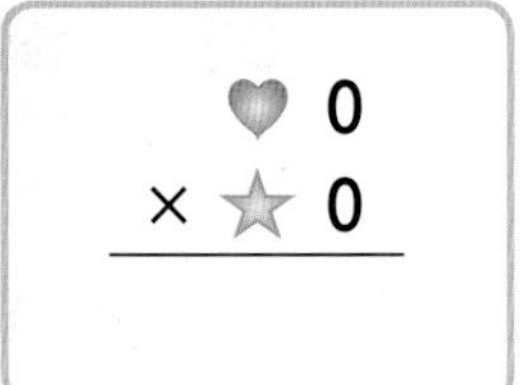

$$\begin{array}{r} ♥\,0 \\ \times\ ★\,0 \\ \hline \end{array}$$

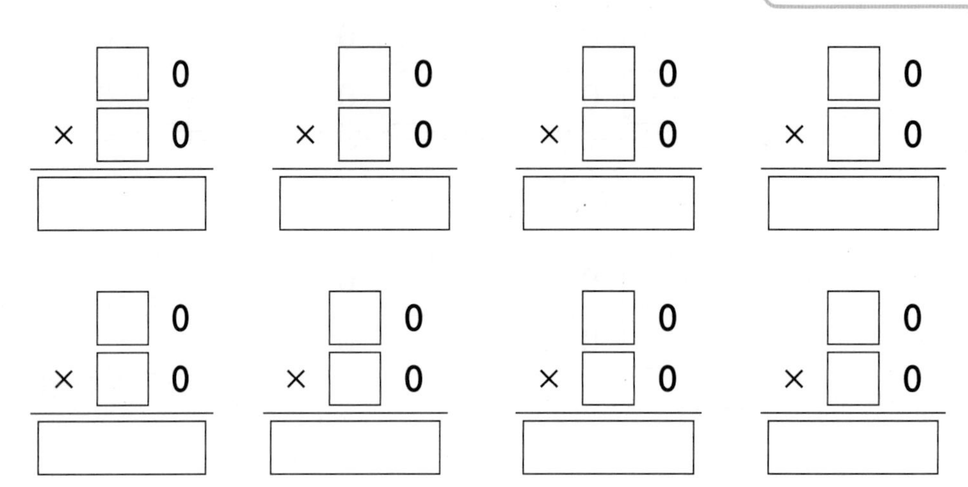

02 오른쪽과 같이 (몇십)×(몇십)의 곱셈식에서 1<♠<♣이고 ♠0×♣0<1800인 곱셈식을 알아보려고 합니다. 서로 다른 곱셈식을 만들고 곱을 구하시오.

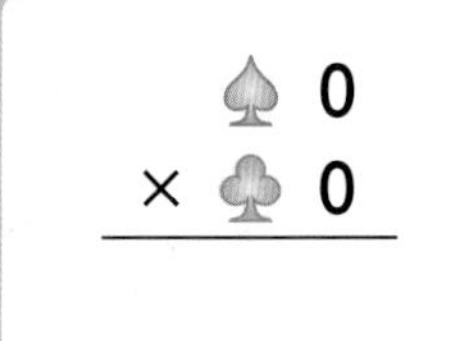

$$\begin{array}{r} ♠\,0 \\ \times\ ♣\,0 \\ \hline \end{array}$$

□0 × □0 = □ □0 × □0 = □ □0 × □0 = □ □0 × □0 = □

□0 × □0 = □ □0 × □0 = □ □0 × □0 = □ □0 × □0 = □

03 오른쪽과 같이 (몇십몇)×(몇십)의 곱셈식에서 ♡>☆>◆ 일 때, ♡☆×◆0의 곱이 가장 큰 것부터 차례로 8개의 식을 만들고 곱을 구하시오.

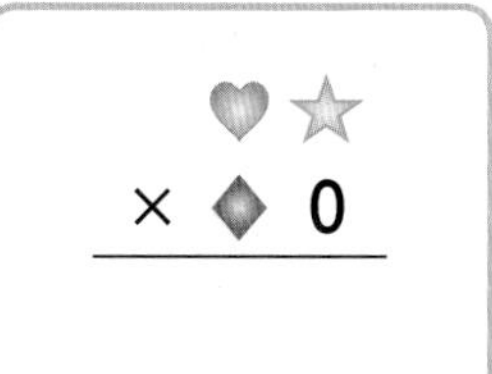

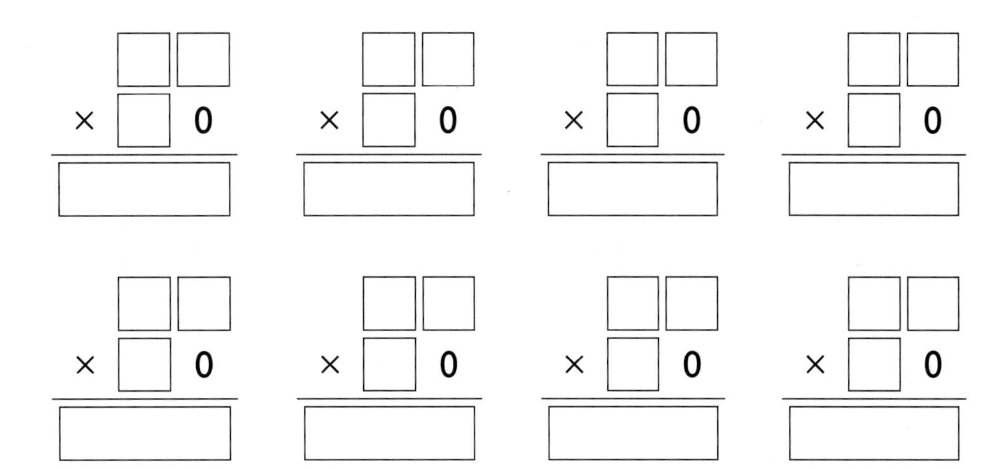

04 오른쪽과 같이 (몇십몇)×(몇십)의 곱셈식에서 ♡<☆<◆ 일 때, ♡☆×◆0의 곱이 가장 작은 것부터 차례로 8개의 식을 만들고 곱을 구하시오.

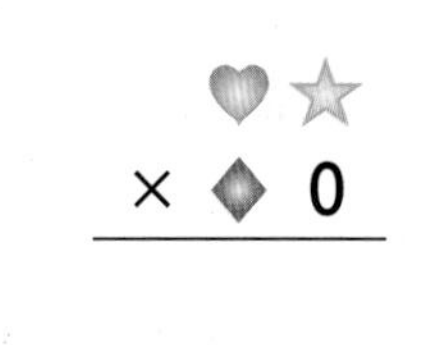

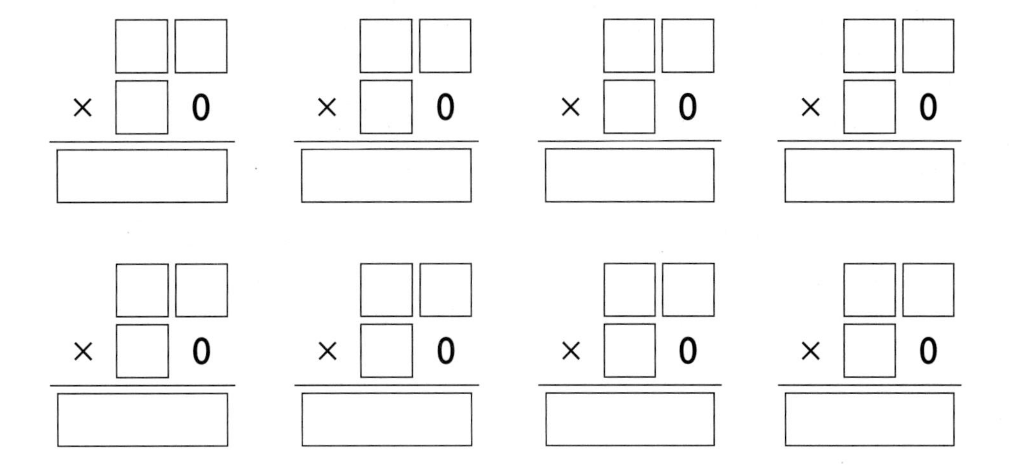

실력 점검

☐ 안에 알맞은 수를 써넣으시오. (01~04)

01 $3 \times 8 = \square$ (↓10배, ↓10배, ↓100배) $30 \times 80 = \square$

02 $62 \times 2 = \square$ (↓10배, ↓10배) $62 \times 20 = \square$

03 $50 \times 50 = \square 00$

04 $16 \times 30 = \square 0$

계산을 하시오. (05~16)

05 60×20

06 40×90

07 70×80

08 14×40

09 27×50

10 68×30

11 60×60

12 42×20

13 70×40

14 81×30

15 90×90

16 28×60

17 주어진 곱셈식에서 ♥와 ☆은 0부터 9까지의 숫자일 때, 조건을 만족하는 여러 가지 곱셈식을 만들어 보시오.

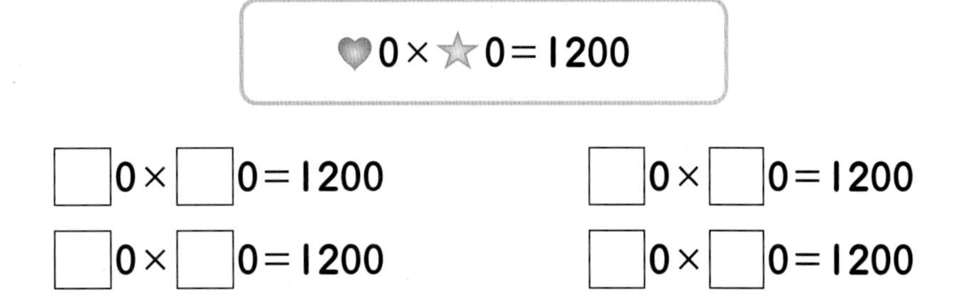

18 주어진 곱셈식에서 ♥, ☆, ▲는 0부터 9까지의 숫자일 때, 조건을 만족하는 여러 가지 곱셈식을 만들어 보시오.

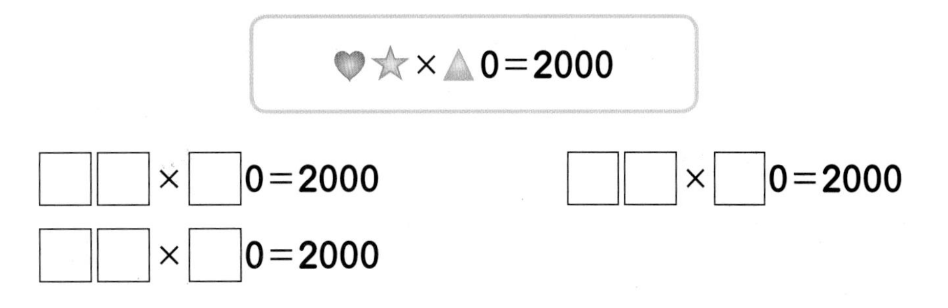

19 오른쪽과 같이 (몇십)×(몇십)의 곱셈식에서 1<♥<☆이고 600<♥0×☆0<1600인 곱셈식을 알아보려고 합니다. 서로 다른 곱셈식을 만들고 곱을 구하시오.

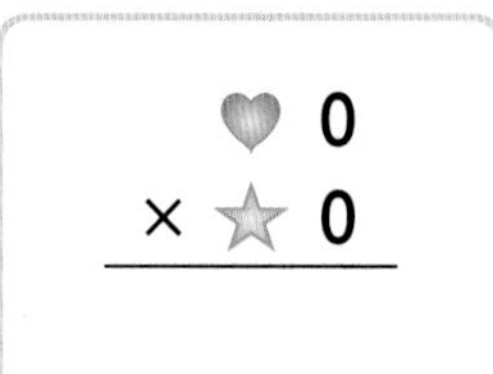

□0 × □0 = □	□0 × □0 = □	□0 × □0 = □
□0 × □0 = □	□0 × □0 = □	□0 × □0 = □

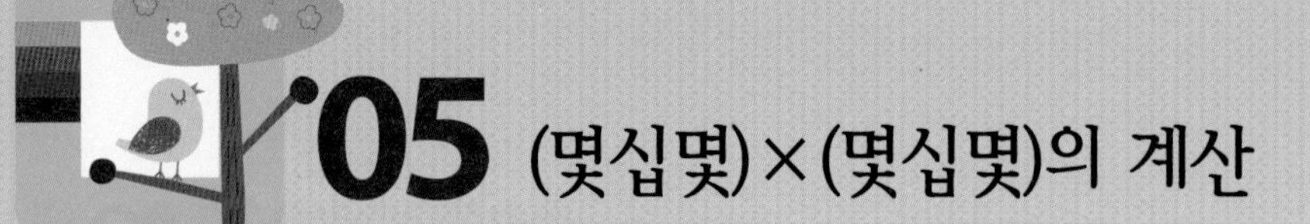

05 (몇십몇)×(몇십몇)의 계산

개념

• 25×12의 계산

$$\begin{array}{r} 25 \\ \times\ 12 \\ \hline 50 \end{array} \leftarrow 25\times2 \quad \Rightarrow \quad \begin{array}{r} 25 \\ \times\ 12 \\ \hline 50 \\ 250 \end{array} \begin{array}{l} \\ \\ \leftarrow 25\times2 \\ \leftarrow 25\times10 \end{array} \quad \Rightarrow \quad \begin{array}{r} 25 \\ \times\ 12 \\ \hline 50 \\ 250 \\ \hline 300 \end{array} \begin{array}{l} \\ \\ \leftarrow 25\times2 \\ \leftarrow 25\times10 \\ \\ \end{array}$$

➡ (몇십몇)×(몇십몇)의 계산은 (몇십몇)×(몇)과 (몇십몇)×(몇십)으로 나누어서 곱한 후 두 곱을 더합니다.

□ 안에 알맞은 수를 써넣으시오. (01~05)

01

$$\begin{array}{r} 42 \\ \times\ 15 \\ \hline \square \\ \square \\ \hline \square \end{array} \begin{array}{l} \\ \\ \leftarrow 42\times\square \\ \leftarrow 42\times\square \\ \\ \end{array}$$

02

$$\begin{array}{r} 47 \\ \times\ 26 \\ \hline \square \\ \square \\ \hline \square \end{array} \begin{array}{l} \\ \\ \leftarrow 47\times\square \\ \leftarrow 47\times\square \\ \\ \end{array}$$

03 $22\times34=(22\times4)+(22\times\square)$

$=\square+\square=\square$

04 $43\times25=(43\times5)+(43\times\square)$

$=\square+\square=\square$

05 $67\times34=(67\times\square)+(67\times30)$

$=\square+\square=\square$

□ 안에 알맞은 수를 써넣으시오. (06~07)

06　$24\times26 \Rightarrow \left[\begin{array}{l} 24\times6=\square \\ 24\times20=\square \end{array}\right] \Rightarrow 24\times26=\square$

07　$43\times35 \Rightarrow \left[\begin{array}{l} 43\times5=\square \\ 43\times30=\square \end{array}\right] \Rightarrow 43\times35=\square$

계산을 하시오. (08~19)

08　$\begin{array}{r} 27 \\ \times\ 15 \\ \hline \end{array}$

09　$\begin{array}{r} 32 \\ \times\ 16 \\ \hline \end{array}$

10　$\begin{array}{r} 46 \\ \times\ 18 \\ \hline \end{array}$

11　$\begin{array}{r} 48 \\ \times\ 32 \\ \hline \end{array}$

12　$\begin{array}{r} 32 \\ \times\ 41 \\ \hline \end{array}$

13　$\begin{array}{r} 56 \\ \times\ 25 \\ \hline \end{array}$

14　19×64

15　57×21

16　46×27

17　37×24

18　53×94

19　36×55

사고력 기르기 Step 1

□ 안에 알맞은 숫자를 써넣으시오. (01~06)

01

		□	3
×		5	□
	□	6	1
□	□	5	0
□	□	□	□

02

		□	9
×		4	□
	□	7	3
□	□	6	0
□	□	□	□

03

		□	4
×		6	□
	□	6	2
□	□	4	0
□	□	□	□

04

		5	□
×		□	7
	□	□	5
□	6	5	0
□	□	□	□

05

		4	□
×		□	6
	□	9	4
□	□	6	0
□	□	□	□

06

		3	□
×		□	8
	□	□	2
□	□	0	0
□	□	□	□

07 5, 7, 9 의 숫자 카드를 한 번씩 사용하여 곱이 가장 큰 순서대로 다음 곱셈식을 완성하시오.

	□	□
×	□	3
	▭	
▭		
▭		

	□	□
×	□	3
	▭	
▭		
▭		

	□	□
×	□	3
	▭	
▭		
▭		

	□	□
×	□	3
	▭	
▭		
▭		

	□	□
×	□	3
	▭	
▭		
▭		

	□	□
×	□	3
	▭	
▭		
▭		

08 2, 4, 6, 8 의 숫자 카드 중 3장을 사용하여 곱이 가장 큰 것부터 차례로 16개의 곱셈식을 완성하시오.

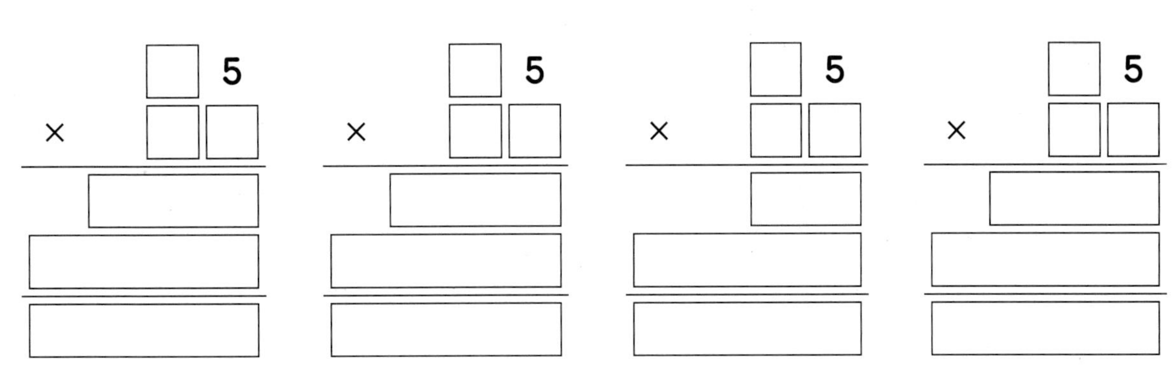

주어진 5장의 숫자 카드 중 4장을 뽑아 한 번씩 사용하여 곱셈식을 만들고 곱을 구하시오. (01~02)

01

1 3 5 7 9

가장 큰 곱부터 차례로 3개 만들기 ➡

〈가장 큰 곱〉 □□ × □□ = □

〈두 번째로 큰 곱〉 □□ × □□ = □

〈세 번째로 큰 곱〉 □□ × □□ = □

가장 작은 곱부터 차례로 3개 만들기 ➡

〈가장 작은 곱〉 □□ × □□ = □

〈두 번째로 작은 곱〉 □□ × □□ = □

〈세 번째로 작은 곱〉 □□ × □□ = □

02

2 4 6 8 0

가장 큰 곱부터 차례로 3개 만들기 ➡

〈가장 큰 곱〉 □□ × □□ = □

〈두 번째로 큰 곱〉 □□ × □□ = □

〈세 번째로 큰 곱〉 □□ × □□ = □

가장 작은 곱부터 차례로 3개 만들기 ➡

〈가장 작은 곱〉 □□ × □□ = □

〈두 번째로 작은 곱〉 □□ × □□ = □

〈세 번째로 작은 곱〉 □□ × □□ = □

03 숫자가 쓰여진 숫자판이 있습니다. 이 숫자판에서 4개의 숫자를 오른쪽과 같이 선택하여 (두 자리 수)×(두 자리 수)의 곱을 구하면 27×68=1836입니다. 이와 같이 4개의 숫자를 선택하여 (두 자리 수)×(두 자리 수)의 곱이 가장 큰 경우와 가장 작은 경우를 찾아 두 곱의 차를 구해 보시오.

2	7	0	9	4
6	8	4	3	7
5	6	9	7	8
1	7	5	9	6

〈곱이 가장 큰 경우〉 □□×□□=□

〈곱이 가장 작은 경우〉 □□×□□=□

〈두 곱의 차〉 □−□=□

다음과 같이 숫자가 쓰여진 원판이 있습니다. 시계 방향으로 연속된 4개의 숫자를 선택하여 처음 2개로 두 자리 수, 다음 2개로 두 자리 수를 만들어 (두 자리 수)×(두 자리 수)의 곱이 가장 큰 경우와 가장 작은 경우를 찾아 곱을 알아보시오. (04~05)

04

0, 8, 5, 7, 3, 9, 6, 4, 1, 2

〈곱이 가장 큰 경우〉 □□×□□=□

〈곱이 가장 작은 경우〉 □□×□□=□

05

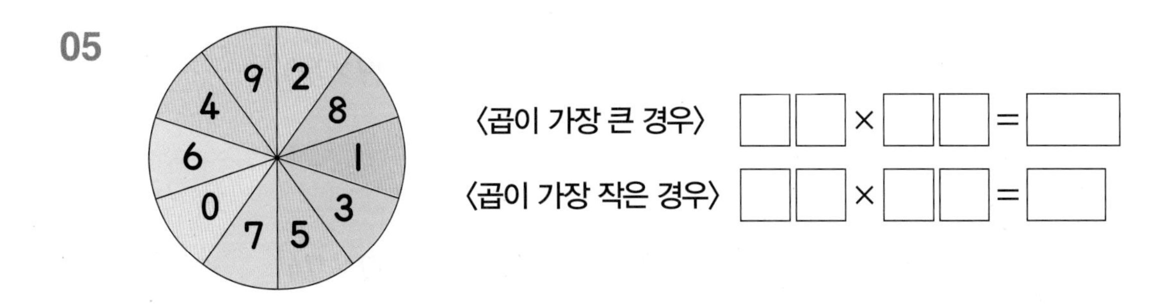

실력 점검

□ 안에 알맞은 수를 써넣으시오. (01~04)

01

$$\begin{array}{r} 3\ 2 \\ \times\ 1\ 5 \\ \hline \square \\ \square \\ \hline \square \end{array}$$

← 32×5
← 32×10

02

$$\begin{array}{r} 2\ 7 \\ \times\ 2\ 5 \\ \hline \square \\ \square \\ \hline \square \end{array}$$

← 27×5
← 27×20

03 43×18 ➡ [43× 8 = □, 43×10 = □] ➡ 43×18 = □

04 56×23 ➡ [56× 3 = □, 56×20 = □] ➡ 56×23 = □

계산을 하시오. (05~11)

05

$$\begin{array}{r} 1\ 9 \\ \times\ 2\ 4 \\ \hline \end{array}$$

06

$$\begin{array}{r} 3\ 6 \\ \times\ 5\ 7 \\ \hline \end{array}$$

07

$$\begin{array}{r} 4\ 8 \\ \times\ 2\ 5 \\ \hline \end{array}$$

08 41×32

09 29×46

10 82×18

11 67×74

실력 점검

□ 안에 알맞은 숫자를 써넣으시오. (12~13)

12

	□	6
×	3	□
	□	2
□	8	0
□	3	□

13

		4	□
×		□	6
	□	□	2
□	□	1	0
□	□	□	□

주어진 5장의 숫자 카드 중 4장을 뽑아 한 번씩 사용하여 곱셈식을 만들고 곱을 구하시오. (14~15)

14

〈가장 큰 곱〉 □□ × □□ = □

〈두 번째로 큰 곱〉 □□ × □□ = □

〈세 번째로 큰 곱〉 □□ × □□ = □

15

〈가장 작은 곱〉 □□ × □□ = □

〈두 번째로 작은 곱〉 □□ × □□ = □

〈세 번째로 작은 곱〉 □□ × □□ = □

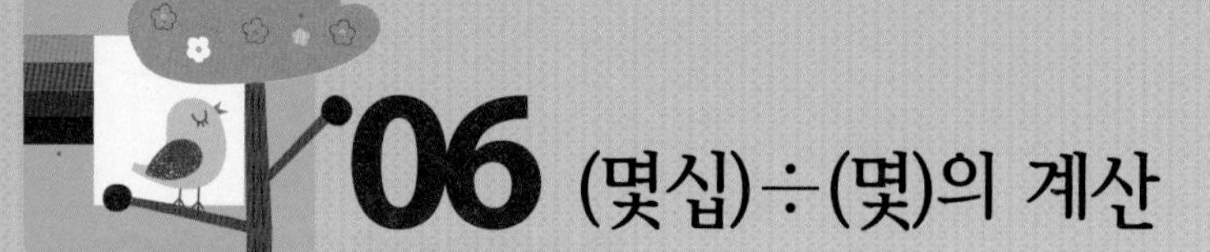

06 (몇십)÷(몇)의 계산

개념

1. 내림이 없는 (몇십)÷(몇)

$80 \div 2 = 40$

$$\begin{array}{r} 4 \\ 2\overline{)8} \\ 8 \\ \hline 0 \end{array} \Rightarrow \begin{array}{r} 40 \\ 2\overline{)80} \\ 80 \\ \hline 0 \end{array}$$

➡ 내림이 없는 (몇십)÷(몇)의 계산은 (몇)÷(몇)을 계산한 다음 구한 몫에 0을 한 개 붙여 줍니다.

2. 내림이 있는 (몇십)÷(몇)

$30 \div 2 = 15$

$$2\overline{)30} \Rightarrow \begin{array}{r} 10 \\ 2\overline{)30} \\ 20 \\ \hline 10 \end{array} \Rightarrow \begin{array}{r} 15 \\ 2\overline{)30} \\ 20 \\ \hline 10 \\ 10 \\ \hline 0 \end{array}$$

□ 안에 알맞은 수를 써넣으시오. (01~06)

01 $6 \div 3 = \square$ ➡ $60 \div 3 = \square$

02 $8 \div 4 = \square$ ➡ $80 \div 4 = \square$

03 $9 \div 3 = \square$ ➡ $90 \div 3 = \square$

04 $6 \div 2 = \square$ ➡ $60 \div 2 = \square$

05

$$\begin{array}{rl} 1\square & \\ 4\overline{)60} & \\ \square & \leftarrow 4 \times \square \\ \hline 20 & \\ \square & \leftarrow 4 \times \square \\ \hline 0 & \end{array}$$

06

$$\begin{array}{rl} 1\square & \\ 5\overline{)70} & \\ \square & \leftarrow 5 \times \square \\ \hline 20 & \\ \square & \leftarrow 5 \times \square \\ \hline 0 & \end{array}$$

□ 안에 알맞은 수를 써넣으시오. (07~10)

07 $20 \div 2 = \square$ ➡ $\square \overline{)\square}$ (몫: $\square$)

08 $80 \div 4 = \square$ ➡ $\square \overline{)\square}$ (몫: $\square$)

09 $50 \div 2 = \square$ ➡ $\square \overline{)\square}$ (몫: $\square$)

10 $90 \div 6 = \square$ ➡ $\square \overline{)\square}$ (몫: $\square$)

계산을 하시오. (11~22)

11 $70 \div 7$

12 $60 \div 5$

13 $40 \div 2$

14 $90 \div 2$

15 $50 \div 5$

16 $80 \div 5$

17 $3\overline{)90}$

18 $2\overline{)30}$

19 $4\overline{)40}$

20 $5\overline{)90}$

21 $2\overline{)70}$

22 $2\overline{)90}$

사고력 기르기

Step 1

다음과 같은 (몇십)÷(몇)의 계산에서 몫이 가장 큰 순서대로 나눗셈을 완성하시오. (단, 나누는 수는 1보다 큰 한 자리 수입니다.) (01~07)

01 20÷□=□　20÷□=□　20÷□=□

02 30÷□=□　30÷□=□　30÷□=□
30÷□=□

03 40÷□=□　40÷□=□　40÷□=□
40÷□=□

04 60÷□=□　60÷□=□　60÷□=□
60÷□=□　60÷□=□

05 70÷□=□　70÷□=□　70÷□=□

06 80÷□=□　80÷□=□　80÷□=□
80÷□=□

07 90÷□=□　90÷□=□　90÷□=□
90÷□=□　90÷□=□

08 다음과 같이 (몇십)÷(몇)의 나눗셈에서 나누는 수가 몫보다 큰 경우를 모두 찾아 □ 안에 알맞은 수를 써넣으시오.

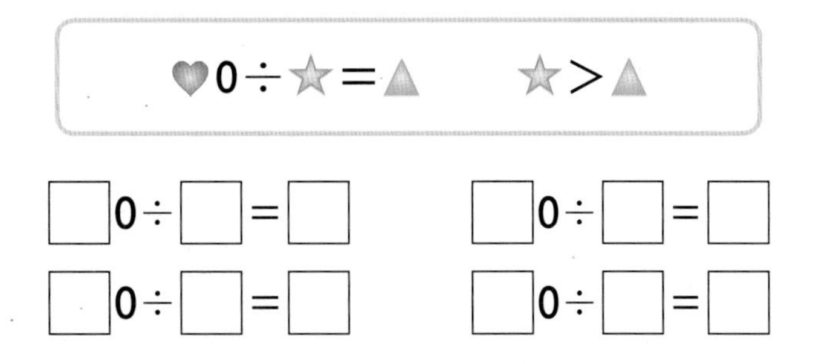

09 다음과 같이 (몇십)÷(몇)의 나눗셈에서 나누는 수가 1보다 크고 몫보다 작은 경우를 모두 찾아 □ 안에 알맞은 수를 써넣으시오.

♥0÷☆=▲ 1<☆<▲

10÷□=□	20÷□=□	20÷□=□
30÷□=□	30÷□=□	30÷□=□
40÷□=□	40÷□=□	40÷□=□
50÷□=□	50÷□=□	60÷□=□
60÷□=□	60÷□=□	60÷□=□
60÷□=□	70÷□=□	70÷□=□
70÷□=□	80÷□=□	80÷□=□
80÷□=□	80÷□=□	90÷□=□
90÷□=□	90÷□=□	90÷□=□
90÷□=□		

Step 2

다음을 보기 와 같이 계산하여 □ 안에 알맞은 수를 써넣으시오. (01~06)

보기

$\heartsuit \div \blacktriangle + \bigstar \div \blacktriangle = \blacklozenge \Rightarrow \begin{cases} (\heartsuit + \bigstar) \div \blacktriangle = \blacklozenge \\ \heartsuit + \bigstar = \blacklozenge \times \blacktriangle \end{cases}$

01 $20 \div 2 + \square \div 2 = 25 \Rightarrow \begin{cases} (20 + \square) \div 2 = 25 \\ 20 + \square = 25 \times 2 \end{cases}$

02 $30 \div 5 + \square \div 5 = 14 \Rightarrow \begin{cases} (30 + \square) \div 5 = 14 \\ 30 + \square = 14 \times \square \end{cases}$

03 $60 \div 6 + \square \div 6 = 15 \Rightarrow \begin{cases} (60 + \square) \div \square = 15 \\ 60 + \square = 15 \times \square \end{cases}$

04 $\square \div 4 + 60 \div 4 = 20 \Rightarrow \begin{cases} (\square + 60) \div 4 = 20 \\ \square + 60 = 20 \times 4 \end{cases}$

05 $\square \div 6 + 90 \div 6 = 20 \Rightarrow \begin{cases} (\square + 90) \div 6 = 20 \\ \square + 90 = 20 \times \square \end{cases}$

06 $\square \div 8 + 40 \div 8 = 15 \Rightarrow \begin{cases} (\square + 40) \div \square = 15 \\ \square + 40 = 15 \times \square \end{cases}$

 다음을 보기 와 같이 계산하여 □ 안에 알맞은 수를 써넣으시오. (07~12)

보기

♥÷▲−★÷▲=◆ ➡ (♥−★)÷▲=◆ / ♥−★=◆×▲

07 $80\div4-\square\div4=5$ ➡ $(80-\square)\div4=5$ / $80-\square=5\times4$

08 $70\div5-\square\div5=10$ ➡ $(70-\square)\div5=10$ / $70-\square=10\times\square$

09 $90\div6-\square\div6=10$ ➡ $(90-\square)\div\square=10$ / $90-\square=10\times\square$

10 $\square\div5-60\div5=6$ ➡ $(\square-60)\div5=6$ / $\square-60=6\times5$

11 $\square\div2-30\div2=25$ ➡ $(\square-30)\div2=25$ / $\square-30=25\times\square$

12 $\square\div4-20\div4=10$ ➡ $(\square-20)\div\square=10$ / $\square-20=10\times\square$

실력 점검

□ 안에 알맞은 수를 써넣으시오. (01~06)

01 $8 \div 2 = \square \Rightarrow 80 \div 2 = \square$

02 $6 \div 2 = \square \Rightarrow 60 \div 2 = \square$

03 $90 \div 3 = \square \Rightarrow \square \overline{)\square}$ (몫: □)

04 $60 \div 4 = \square \Rightarrow \square \overline{)\square}$ (몫: □)

05

$$\begin{array}{r} 2\ \square \\ 2\overline{)\ 5\ 0} \\ \underline{\square\quad} \leftarrow 2\times\square \\ 1\ 0 \\ \underline{\square\quad} \leftarrow 2\times\square \\ 0 \end{array}$$

06

$$\begin{array}{r} 1\ \square \\ 5\overline{)\ 6\ 0} \\ \underline{\square\quad} \leftarrow 5\times\square \\ 1\ 0 \\ \underline{\square\quad} \leftarrow 5\times\square \\ 0 \end{array}$$

계산을 하시오. (07~14)

07 $40 \div 4$

08 $60 \div 3$

09 $30 \div 2$

10 $70 \div 5$

11 $4\overline{)80}$

12 $5\overline{)90}$

13 $2\overline{)70}$

14 $5\overline{)80}$

15 몫이 한 자리 수인 (몇십)÷(몇)의 나눗셈에서 나누는 수가 1보다 크고 몫보다 작은 경우를 모두 찾아보시오.

□÷□=□　　□÷□=□

□÷□=□　　□÷□=□

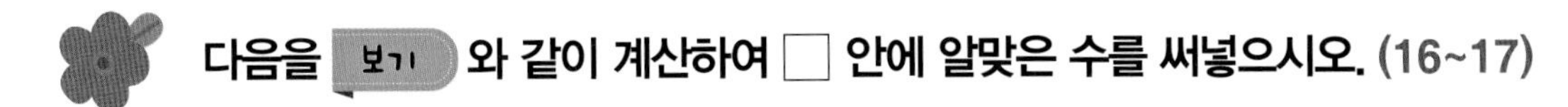

다음을 보기 와 같이 계산하여 □ 안에 알맞은 수를 써넣으시오. (16~17)

보기

♥÷▲+☆÷▲=■ ➡ (♥+☆)÷▲=■, ♥+☆=■×▲

16 $30 \div 5 + \square \div 5 = 16$ ➡ $(30 + \square) \div 5 = 16$, $30 + \square = 16 \times 5$

17 $\square \div 4 + 20 \div 4 = 20$ ➡ $(\square + 20) \div 4 = 20$, $\square + 20 = 20 \times 4$

다음을 보기 와 같이 계산하여 □ 안에 알맞은 수를 써넣으시오. (18~19)

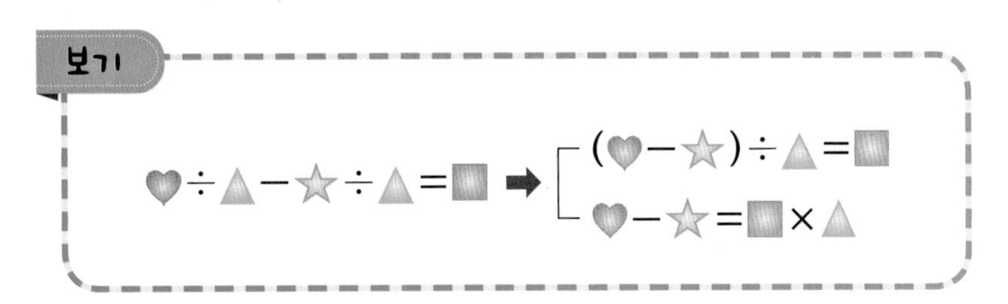

18 $80 \div 2 - \square \div 2 = 20$ ➡ $(80 - \square) \div 2 = 20$, $80 - \square = 20 \times 2$

19 $\square \div 5 - 60 \div 5 = 2$ ➡ $(\square - 60) \div 5 = 2$, $\square - 60 = 2 \times 5$

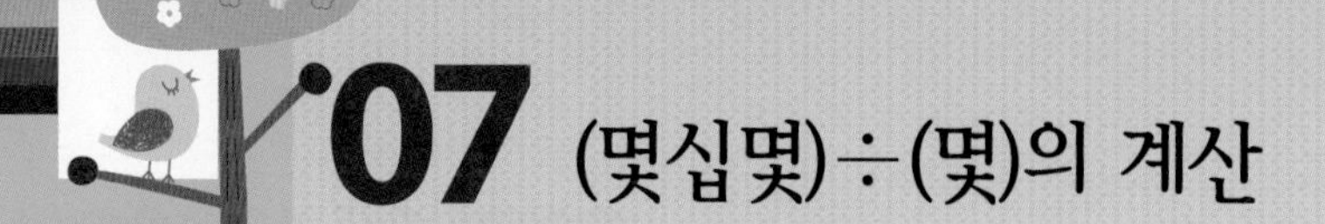

07 (몇십몇)÷(몇)의 계산

개념

1. 몫과 나머지 알아보기

- 22를 6으로 나누면 몫은 3이고, 4가 남습니다.
  이때 4를 22÷6의 나머지라고 합니다.
- 나머지가 없으면 나머지가 0이라고 말할 수 있습니다.
- 나머지가 0일 때 나누어떨어진다고 합니다.

```
     3   ← 몫
6) 2 2
   1 8
   ---
     4   ← 나머지
```

2. (몇십몇)÷(몇)의 계산

```
                   1              1 4  ← 몫
3) 4 3   ➡   3) 4 3   ➡   3) 4 3
                3              3
                ---            ---
                1              1 3
                               1 2
                               ---
                                 1  ← 나머지
```

➡ 십의 자리, 일의 자리 순서로 계산합니다. 이때 십의 자리를 계산하고 남은 것은 내림하여 일의 자리와 함께 계산하고 나머지를 씁니다.

□ 안에 알맞은 수를 써넣으시오. (01~06)

01 24÷2=□□

02 39÷3=□□

03 48÷4=□□

04 68÷2=□□

05

```
     □□
4) 5 2
   □      ← 4×□
   ---
   1 2
   □      ← 4×□
   ---
     0
```

06

```
     □□
3) 5 4
   □      ← 3×□
   ---
   2 4
   □      ← 3×□
   ---
     0
```

빈칸에 나눗셈의 몫과 나머지를 써넣으시오. (07~08)

07

$$\begin{array}{r} 4 \\ 3\overline{)\,1\ 4} \\ 1\ 2 \\ \hline 2 \end{array}$$

몫	
나머지	

08

$$\begin{array}{r} 8 \\ 6\overline{)\,5\ 1} \\ 4\ 8 \\ \hline 3 \end{array}$$

몫	
나머지	

나눗셈의 몫과 나머지를 구하여 □ 안에 알맞은 수를 써넣으시오. (09~16)

09 $32 \div 2 = \square$

10 $57 \div 3 = \square$

11 $78 \div 6 = \square$

12 $96 \div 6 = \square$

13 $62 \div 4 = \square \cdots \square$

14 $64 \div 5 = \square \cdots \square$

15 $86 \div 5 = \square \cdots \square$

16 $79 \div 4 = \square \cdots \square$

계산을 하시오. (17~24)

17 $2\overline{)\,6\ 2}$

18 $4\overline{)\,4\ 8}$

19 $6\overline{)\,7\ 2}$

20 $3\overline{)\,4\ 2}$

21 $4\overline{)\,5\ 3}$

22 $3\overline{)\,4\ 7}$

23 $7\overline{)\,9\ 4}$

24 $6\overline{)\,7\ 7}$

사고력 기르기

Step 1

□ 안에 알맞은 숫자를 써넣어 나눗셈식을 완성하시오. (01~03)

01

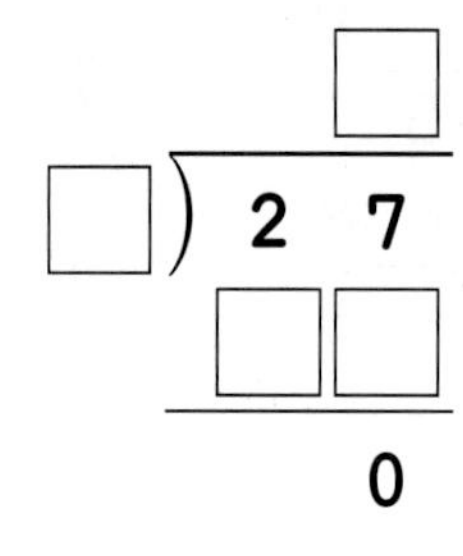

```
     □
□) 2 7
   □□
   ----
     0
```

02

```
     □
□) 1 6
   □□
   ----
     0
```

```
     □
□) 1 6
   □□
   ----
     0
```

```
     □
□) 1 6
   □□
   ----
     0
```

03

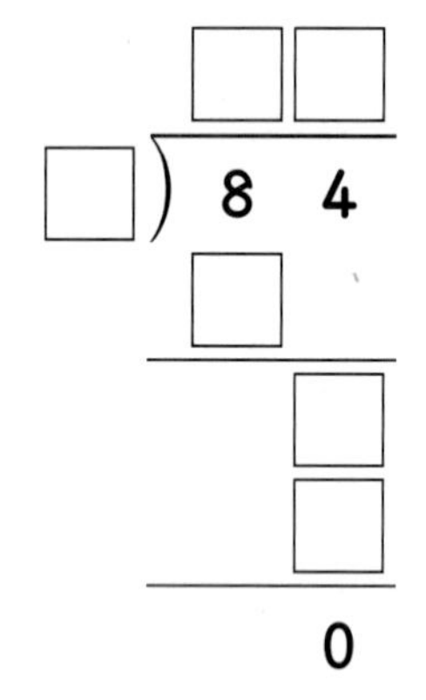

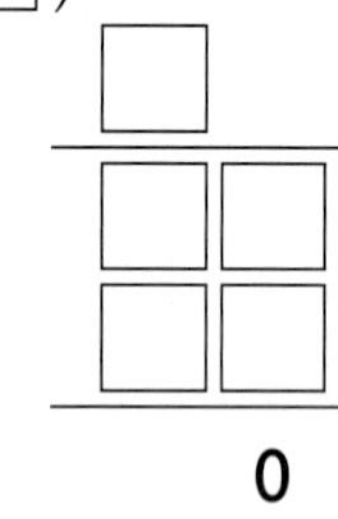

```
    □□
□) 8 4
   □
   ----
     □
     □
   ----
     0
```

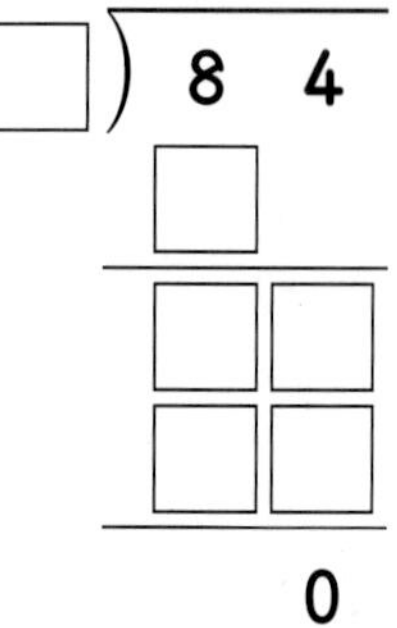

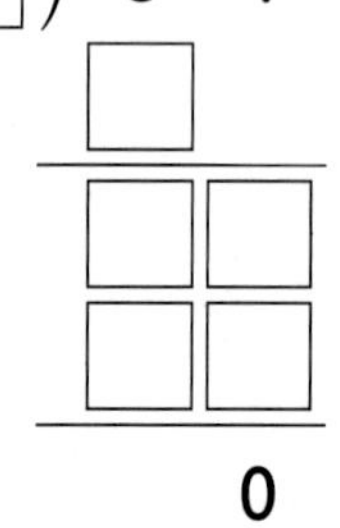

다음 나눗셈에서 나누는 수는 한 자리 수일 때 □ 안에 알맞은 수를 써넣으시오. (04~09)

04

86÷□=□…2　　86÷□=□…2

86÷□=□…2　　86÷□=□…2

05

62÷□=□…2　　62÷□=□…2

62÷□=□…2　　62÷□=□…2

06

57÷□=□…1　　57÷□=□…1

57÷□=□…1　　57÷□=□…1

07

75÷□=□…3　　75÷□=□…3

75÷□=□…3　　75÷□=□…3

08

92÷□=□…2　　92÷□=□…2

92÷□=□…2　　92÷□=□…2

09

97÷□=□…1　　97÷□=□…1

97÷□=□…1　　97÷□=□…1

97÷□=□…1

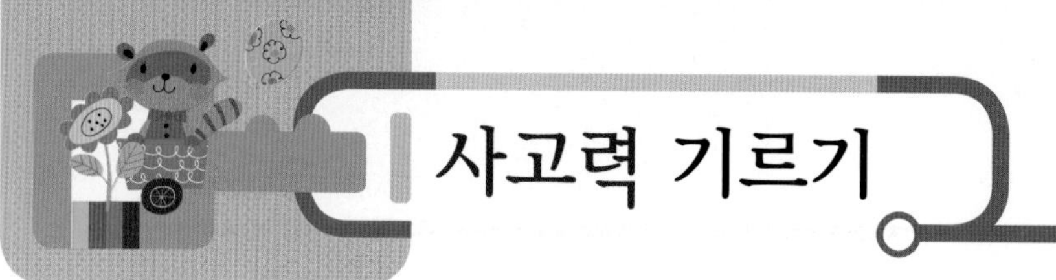

사고력 기르기

Step 2

 다음 나눗셈에서 ★은 한 자리 수일 때 ★에 알맞은 수를 구하시오. (01~06)

01

71÷★=□…1　72÷★=□…2
73÷★=□…3　74÷★=□…4
75÷★=□…5　76÷★=□…6

★=□

02

65÷★=□…1　66÷★=□…2
68÷★=□…4　69÷★=□…5

★=□

03

55÷★=□…1　56÷★=□…2
58÷★=□…4　60÷★=□…6

★=□

04

31÷★=□…1　32÷★=□…2
33÷★=□…3　35÷★=□…5

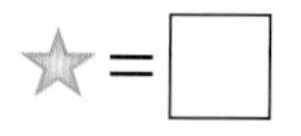
★=□

05

86÷★=□…1　87÷★=□…2
88÷★=□…3　89÷★=□…4

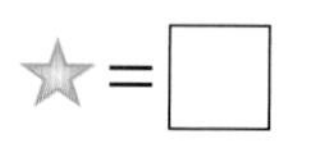
★=□

06

86÷★=□…2　87÷★=□…3
89÷★=□…5　90÷★=□…6

★=□

다음 나눗셈식에서 ♥는 한 자리 수입니다. ♥가 될 수 있는 수를 모두 구하시오. (07~10)

07

75÷♥=★…3

♥=(   )

08

38÷♥=★…2

♥=(   )

09

48÷♥=★…3

♥=(   )

10

80÷♥=★…2

♥=(   )

다음 나눗셈식에서 나누어지는 수(★)는 두 자리 수이고, 나누는 수(◆)는 한 자리 수입니다. ★에 알맞은 두 자리 수 중 가장 큰 수부터 3개만 구해 보시오. (11~14)

11

★÷◆=▲…3

★=(   )

12

★÷◆=▲…4

★=(   )

13

★÷◆=▲…5

★=(   )

14

★÷◆=▲…6

★=(   )

실력 점검

□ 안에 알맞은 수를 써넣으시오. (01~02)

01

$$\begin{array}{r} \square\square \\ 6\,\overline{)\,7\;2} \\ \underline{\square} \leftarrow 6\times\square \\ 1\;2 \\ \underline{\square} \leftarrow 6\times\square \\ 0 \end{array}$$

02

$$\begin{array}{r} \square\square \\ 3\,\overline{)\,8\;1} \\ \underline{\square} \leftarrow 3\times\square \\ 2\;1 \\ \underline{\square} \leftarrow 3\times\square \\ 0 \end{array}$$

빈칸에 나눗셈의 몫과 나머지를 써넣으시오. (03~04)

03

$$\begin{array}{r} 4 \\ 4\,\overline{)\,1\;8} \\ \underline{1\;6} \\ 2 \end{array}$$

몫	
나머지	

04

$$\begin{array}{r} 8 \\ 9\,\overline{)\,7\;5} \\ \underline{7\;2} \\ 3 \end{array}$$

몫	
나머지	

나눗셈의 몫과 나머지를 구하여 □ 안에 알맞은 수를 써넣으시오. (05~08)

05 $72\div4=\square$

06 $78\div6=\square$

07 $94\div3=\square\cdots\square$

08 $88\div5=\square\cdots\square$

계산을 하시오. (09~12)

09 $2\,\overline{)\,8\;2}$

10 $3\,\overline{)\,8\;4}$

11 $4\,\overline{)\,9\;0}$

12 $7\,\overline{)\,9\;9}$

실력 점검

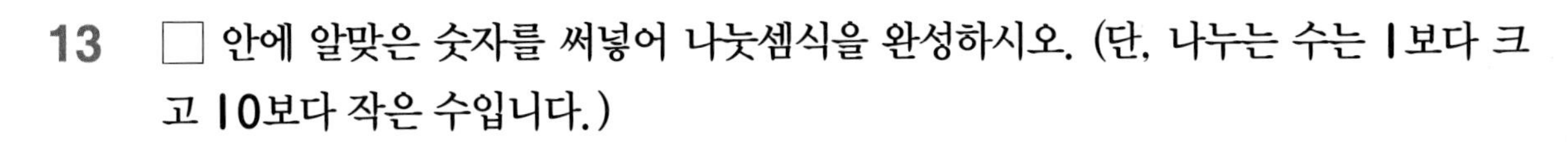

13 □ 안에 알맞은 숫자를 써넣어 나눗셈식을 완성하시오. (단, 나누는 수는 1보다 크고 10보다 작은 수입니다.)

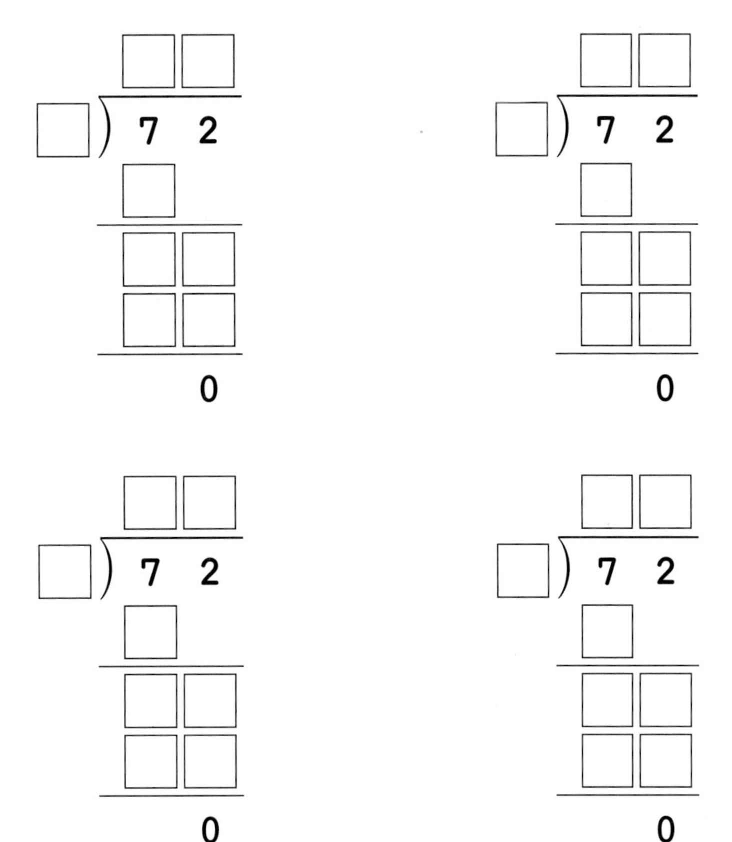

14 다음 나눗셈식에서 나누는 수는 한 자리 수일 때 □ 안에 알맞은 수를 써넣으시오.

50÷□=□···2　　50÷□=□···2

50÷□=□···2　　50÷□=□···2

15 다음 나눗셈식에서 ♥는 한 자리 수입니다. ♥가 될 수 있는 수를 모두 구하시오.

63÷♥=☆···3

(　　　　　　　　　　)

08 (세 자리 수)÷(한 자리 수)의 계산

개념

1. 나머지가 없는 (세 자리 수)÷(한 자리 수)

```
4)236  ➡    5      ➡    59
         4)236        4)236
           20           20
            3            36
                         36
                          0
```

236÷4=59 확인 4×59=236

2. 나머지가 있는 (세 자리 수)÷(한 자리 수)

```
3)856  ➡    2      ➡    28      ➡    285  ← 몫
         3)856        3)856         3)856
           6            6             6
           2            25            25
                        24            24
                         1             16
                                       15
                                        1  ← 나머지
```

856÷3=285···1 확인 3×285=855 ➡ 855+1=856

□ 안에 알맞은 수를 써넣으시오. (01~04)

01 8÷2=□ ➡ 800÷2=□ (8 → 800: 100배, 몫: 100배)

02 52÷4=□ ➡ 520÷4=□ (52 → 520: 10배, 몫: 10배)

03

```
      □
2)  1 9 2
    □ 0    ← 2×□
    □
    □      ← 2×□
        0
```

04

```
      □
5)  2 4 5
    □ 0    ← 5×□
    □
    □      ← 5×□
        0
```

□ 안에 알맞은 숫자를 써넣으시오. (05~06)

05

```
      □ □ □
  5 ) 7 2 8
      □ 0 0
      -----
      2 2 8
      □ □ 0
      -----
        2 8
        □ □
      -----
          □
```

06

```
      □ □ □
  3 ) 6 5 2
      □ 0 0
      -----
        5 2
        □ 0
      -----
        2 2
        □ □
      -----
          □
```

계산하고 맞게 계산했는지 확인해 보시오. (07~12)

07 $3\overline{)570}$ 몫 □ 확인 3× □ = □

08 $4\overline{)560}$ 몫 □ 확인 4× □ = □

09 $5\overline{)375}$ 몫 □ 확인 5× □ = □

10 $4\overline{)375}$ 몫 □ 나머지 □

확인 4× □ = □ ➡ □ + □ = □

11 $3\overline{)362}$ 몫 □ 나머지 □

확인 3× □ = □ ➡ □ + □ = □

12 $2\overline{)537}$ 몫 □ 나머지 □

확인 2× □ = □ ➡ □ + □ = □

사고력 기르기

□ 안에 알맞은 숫자를 써넣어 나눗셈식을 완성하시오. (01~09)

01

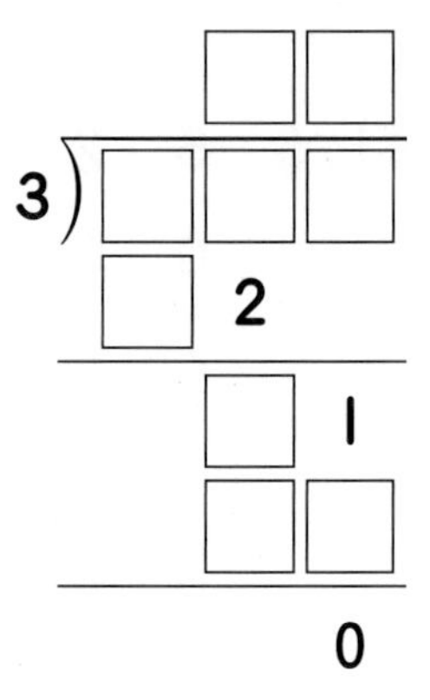

02

□□
4)□8□
3□
□0
□□
0

03

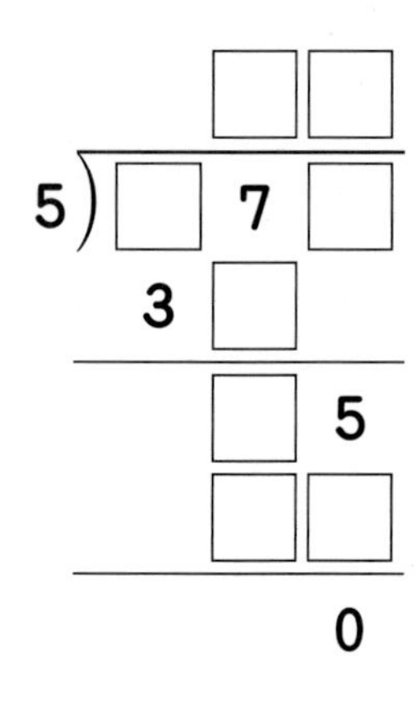

04

□□
7)□1□
□8
□□
□□
0

05

□□
8)□1□
□8
□□
□□
0

06

□□
9)□1□
□8
□□
□□
0

07

□□
5)□4□
3□
□0
□□
0

08

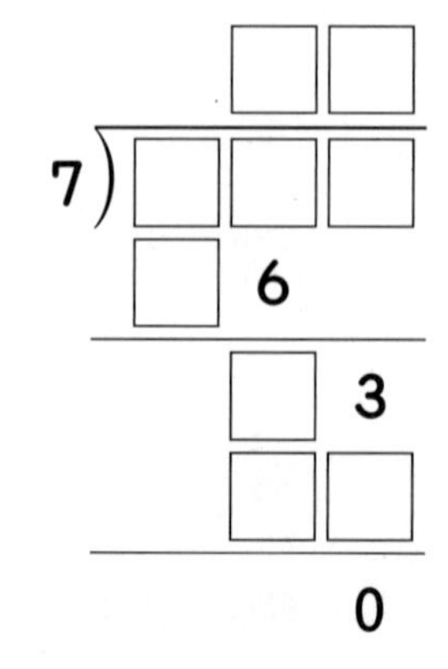

09

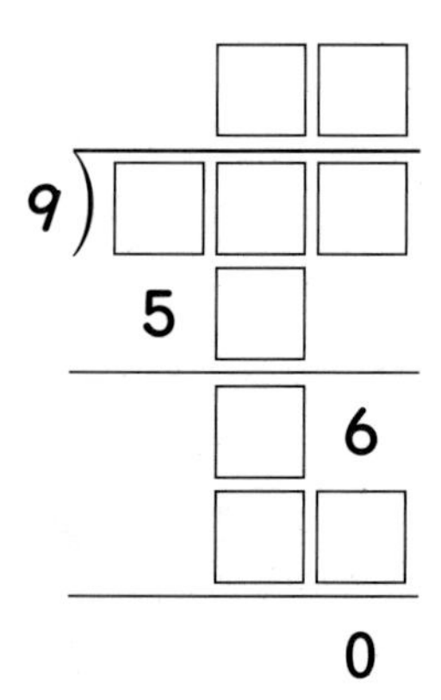

Step 1

□ 안에 알맞은 숫자를 써넣어 나눗셈식을 완성하시오. (10~18)

10

```
   □□
2)□5□
  □□
   □3
   □□
    □
```

11

```
   □□
3)□□□
  □4
   □2
   □□
    1
```

12

```
   □5
4)□□□
  □8
   □□
   □□
    3
```

13

```
   □□
7)□□□
  □2
   □3
   □□
    4
```

14

```
   □□
8)□□□
  □0
   □2
   □□
    4
```

15

```
   □□
9)□□□
  □7
   □□
   5□
    8
```

16

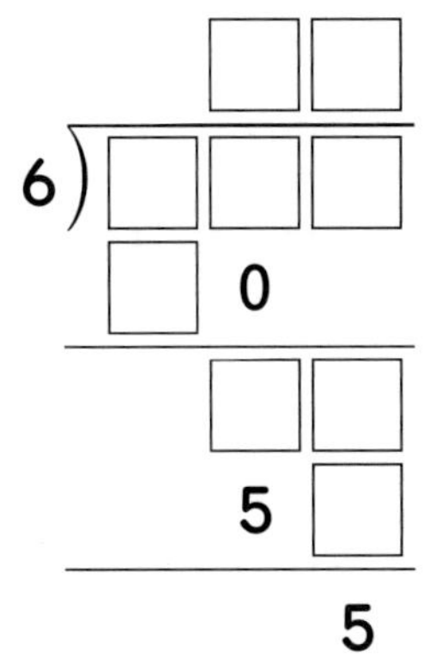

17

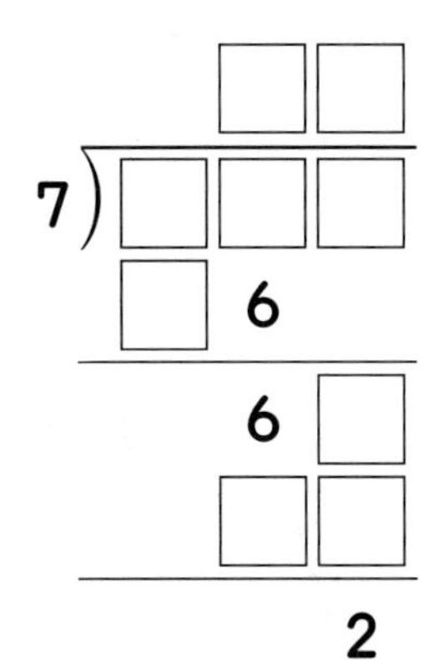

18

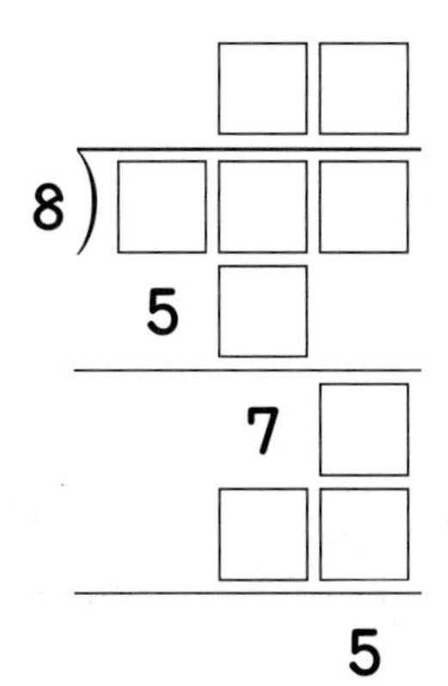

Step 2

(세 자리 수)÷☆=☆☆이 성립할 때 ☆에 알맞은 숫자와 세 자리 수를 각각 구해 보시오. (01~04)

01 1□□÷☆=☆☆ ☆=□ (세 자리 수)=□

02 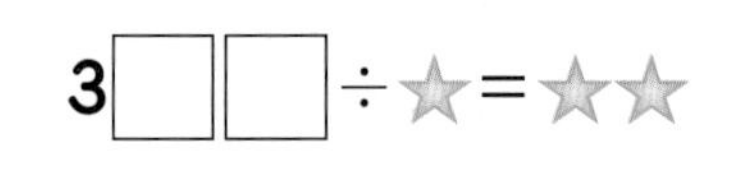

☆=□ (세 자리 수)=□

03 5□□÷☆=☆☆ ☆=□ (세 자리 수)=□

04 7□□÷☆=☆☆ ☆=□ (세 자리 수)=□

다음 나눗셈식에서 ♡는 (세 자리 수)÷(한 자리 수)의 몫입니다. ♡가 될 수 있는 두 자리 수는 각각 몇 개인지 구해 보시오. (05~08)

05 1□□÷4=♡ (♡가 될 수 있는 두 자리 수)=□개

06 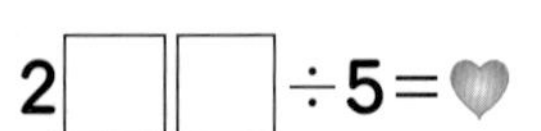

(♡가 될 수 있는 두 자리 수)=□개

07 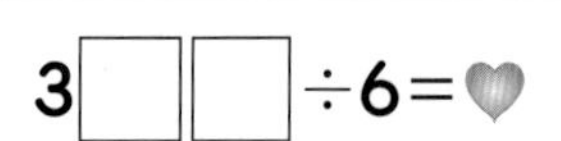

(♡가 될 수 있는 두 자리 수)=□개

08 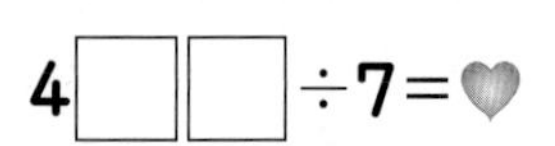

(♡가 될 수 있는 두 자리 수)=□개

다음 나눗셈식에서 ☆은 한 자리 수이고, 몫은 두 자리 수일 때 ☆에 알맞은 수를 모두 구해 보시오. (09~12)

09 133÷☆=□□…1 ☆=( )

10 257÷☆=□□…5 ☆=( )

11 364÷☆=□□…4 ☆=( )

12 452÷☆=□□…2 ☆=( )

다음 나눗셈식에서 나누어지는 수(♡)는 세 자리 수이고, 나누는 수(☆)는 한 자리 수입니다. ♡에 알맞은 세 자리 수 중 가장 작은 수부터 3개만 구해 보시오. (13~16)

13 ♡÷☆=△…3 ☆=( )

14 ♡÷☆=△…5 ☆=( )

15 ♡÷☆=△…7 ☆=( )

16 ♡÷☆=△…8 ☆=( )

실력 점검

□ 안에 알맞은 수를 써넣으시오. (01~04)

01

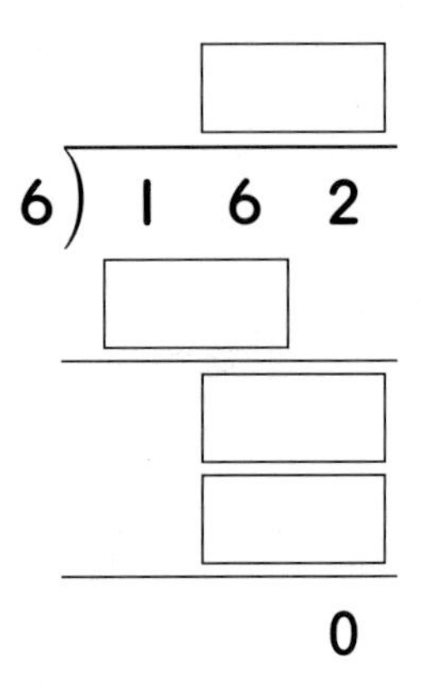

02

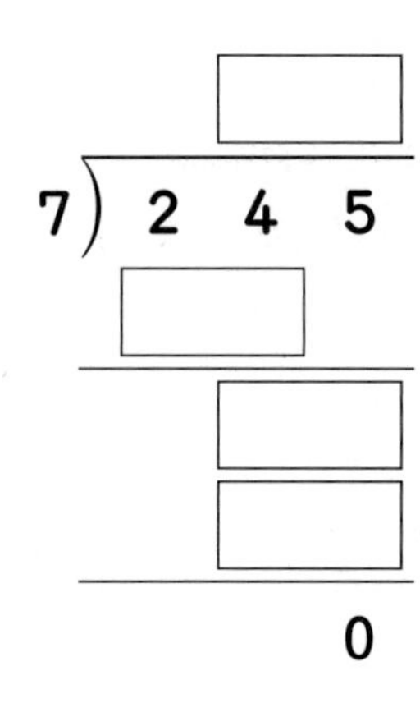

03

5) 1 3 7

□ □ □ □ □

04

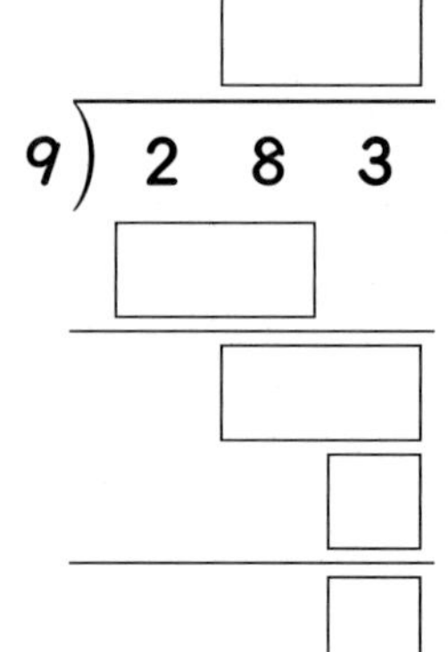

계산하고 맞게 계산했는지 확인해 보시오. (05~08)

05 8)2 2 4   몫 □   확인 8×□=□

06 4)1 4 4   몫 □   확인 4×□=□

07 7)1 5 8   몫 □   나머지 □

확인 7×□=□ ➡ □+□=□

08 6)7 6 5   몫 □   나머지 □

확인 6×□=□ ➡ □+□=□

실력 점검

□ 안에 알맞은 수를 써넣으시오. (09~12)

09

```
      □□
  8)□6□
    3□
    ----
     □□
     □0
    ----
      0
```

10

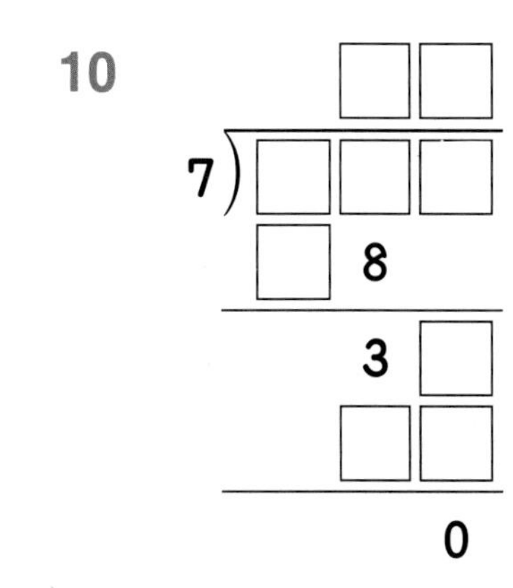

11

```
      □□
  4)□□□
    □4
    ----
     1□
     □6
    ----
      2
```

12

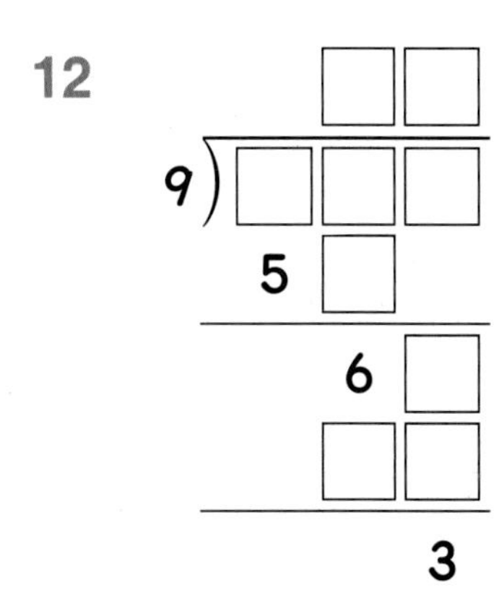

13 (세 자리 수)÷☆=☆☆이 성립할 때 ☆에 알맞은 숫자와 세 자리 수를 각각 구해 보시오.

2□□÷☆=☆☆

☆=□ (세 자리 수)=□

14 다음 나눗셈식에서 ☆은 한 자리 수이고, 몫은 두 자리 수일 때 ☆에 알맞은 수를 모두 구하시오.

151÷☆=□□···1

( )

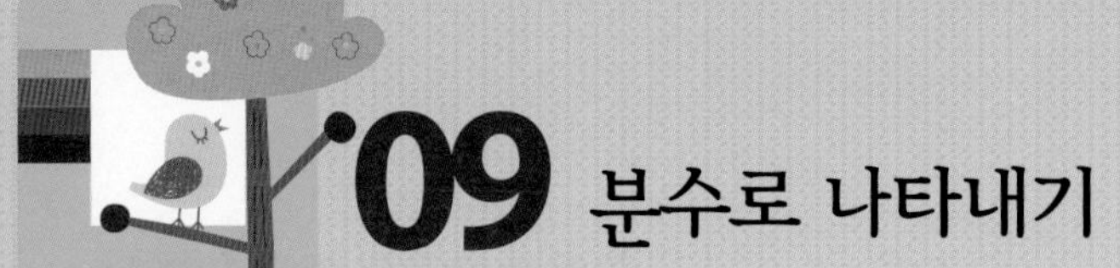

09 분수로 나타내기

개념

1. 분수 알아보기

- 색칠한 부분은 전체를 똑같이 2로 나눈 것 중의 1입니다.
  이것을 $\frac{1}{2}$이라 쓰고 2분의 1이라고 읽습니다.
- $\frac{1}{2}$과 같은 수를 분수라고 합니다.

1 ← 분자
2 ← 분모

2. 같은 양을 서로 다른 분수로 나타내기

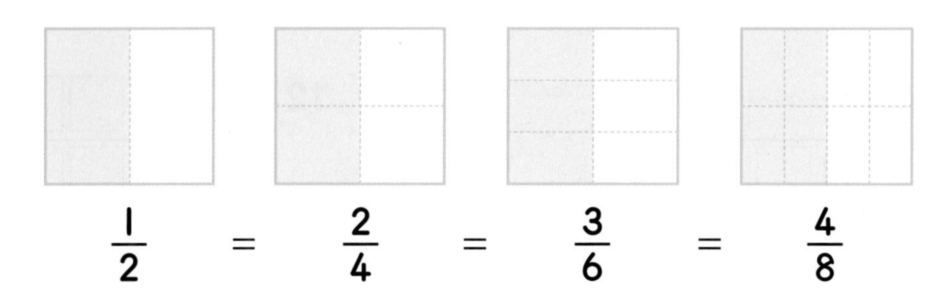

$\frac{1}{2} = \frac{2}{4} = \frac{3}{6} = \frac{4}{8}$

그림을 보고 □ 안에 알맞은 수를 써넣으시오. (01~02)

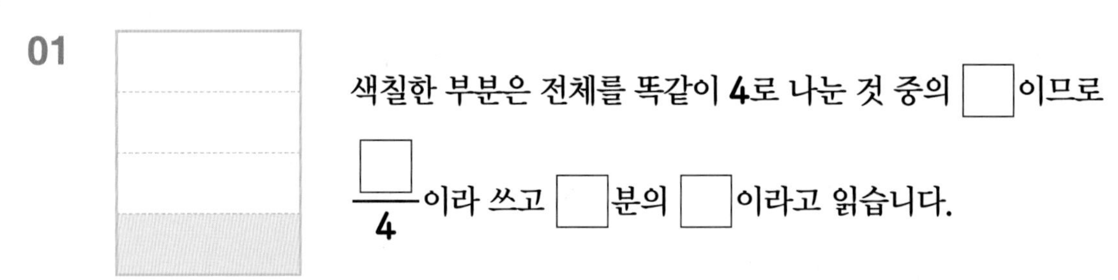

01 색칠한 부분은 전체를 똑같이 4로 나눈 것 중의 □이므로 $\frac{\square}{4}$이라 쓰고 □분의 □이라고 읽습니다.

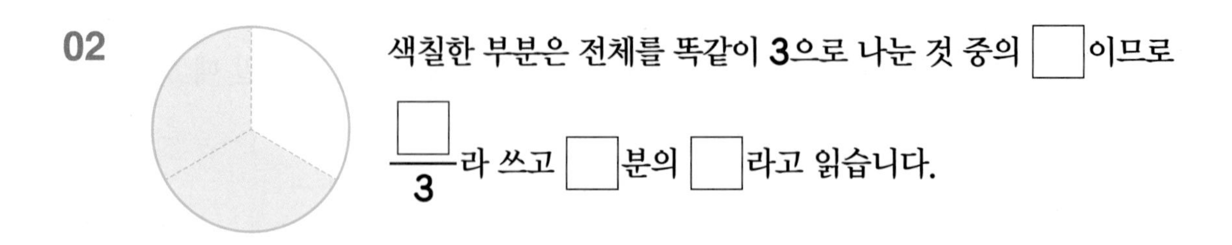

02 색칠한 부분은 전체를 똑같이 3으로 나눈 것 중의 □이므로 $\frac{\square}{3}$라 쓰고 □분의 □라고 읽습니다.

그림을 분수만큼 색칠하시오. (03~08)

03 $\frac{1}{5}$ ➡

04 $\frac{1}{3}$ ➡

05 $\frac{3}{4}$ ➡

06 $\frac{5}{8}$ ➡

07 $\frac{7}{8}$ ➡

08 $\frac{3}{5}$ ➡

09 다음에서 색칠한 부분을 비교하여 □ 안에 알맞은 수를 써넣으시오.

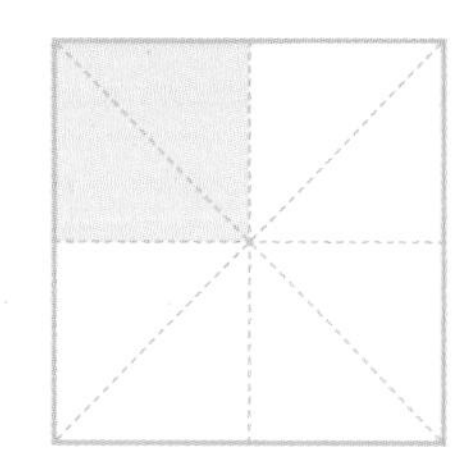

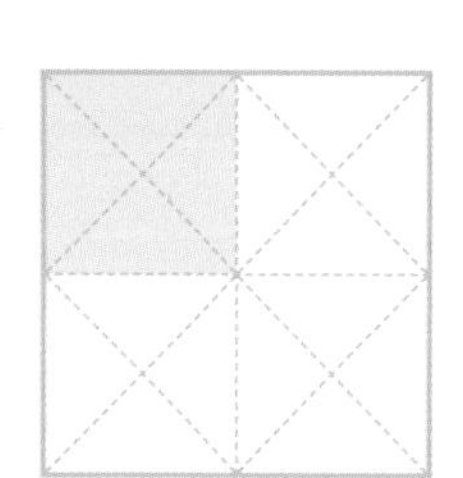

$\frac{1}{4}$ $\frac{\square}{8}$ $\frac{\square}{16}$

$$\frac{1}{4}=\frac{\square}{8}=\frac{\square}{16}$$

사고력 기르기

Step 1

다음에서 색칠한 부분을 분수로 나타내려고 합니다. □ 안에 알맞은 수를 써넣으시오. (01~06)

01

➡ $\frac{\square}{\square}$

02

➡ $\frac{\square}{\square}$

03

➡ $\frac{\square}{\square}=\frac{\square}{\square}$

04

➡ $\frac{\square}{\square}=\frac{\square}{\square}$

05

➡ $\frac{\square}{\square}=\frac{\square}{\square}=\frac{\square}{\square}$

06

➡ $\frac{\square}{\square}=\frac{\square}{\square}=\frac{\square}{\square}$

다음에서 색칠한 부분을 분수로 나타내려고 합니다. □ 안에 알맞은 수를 써넣으시오.

(07~12)

07

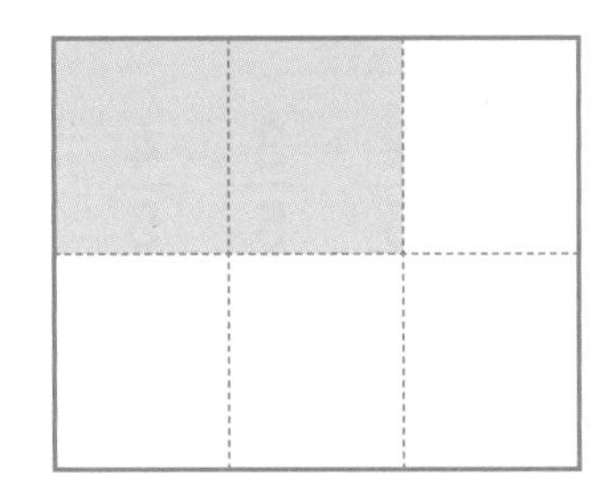

$\frac{\square}{\square}=\frac{\square}{\square}$

08

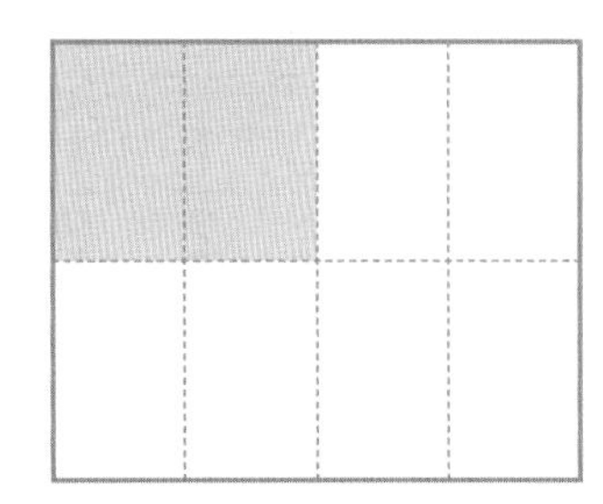

$\frac{\square}{\square}=\frac{\square}{\square}$

09

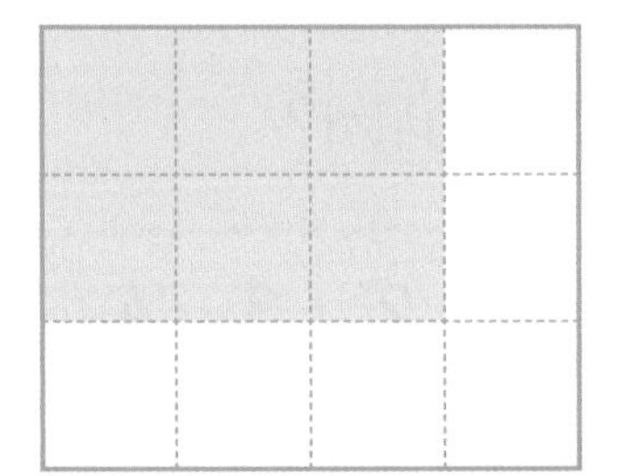

$\frac{\square}{\square}=\frac{\square}{\square}=\frac{\square}{\square}=\frac{\square}{\square}$

10

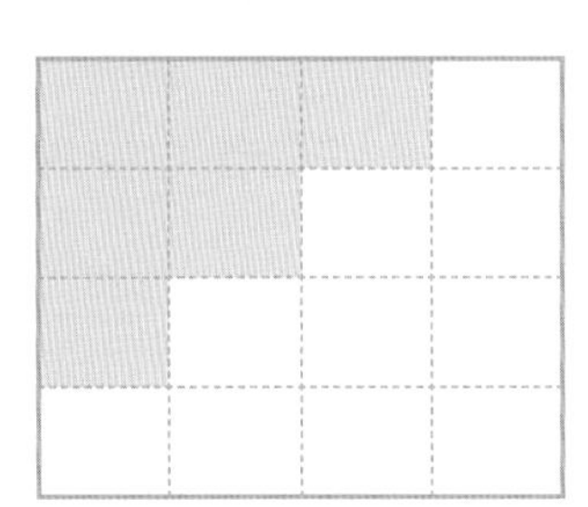

$\frac{\square}{\square}=\frac{\square}{\square}$

11

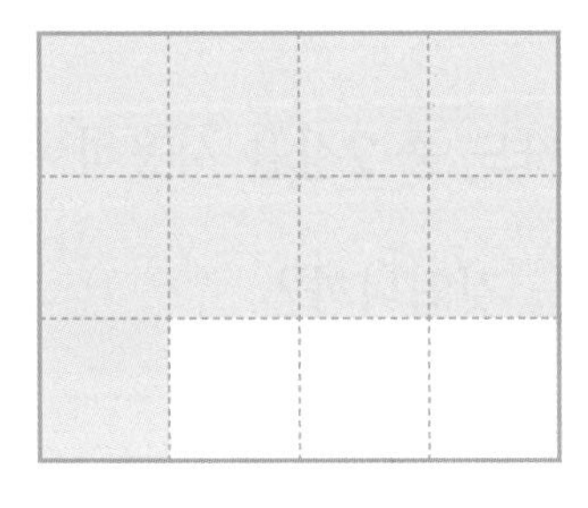

$\frac{\square}{\square}=\frac{\square}{\square}$

12

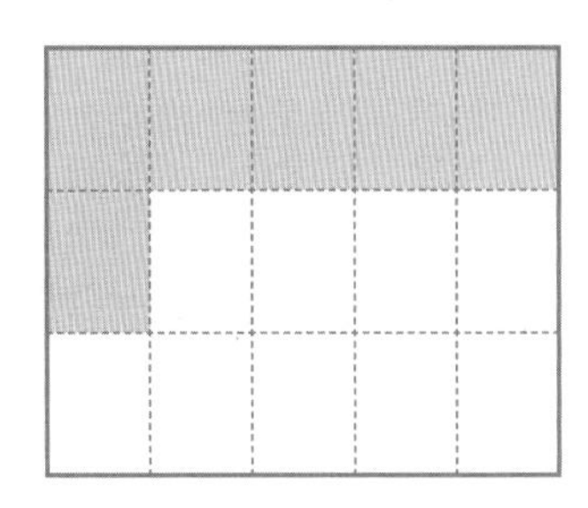

$\frac{\square}{\square}=\frac{\square}{\square}$

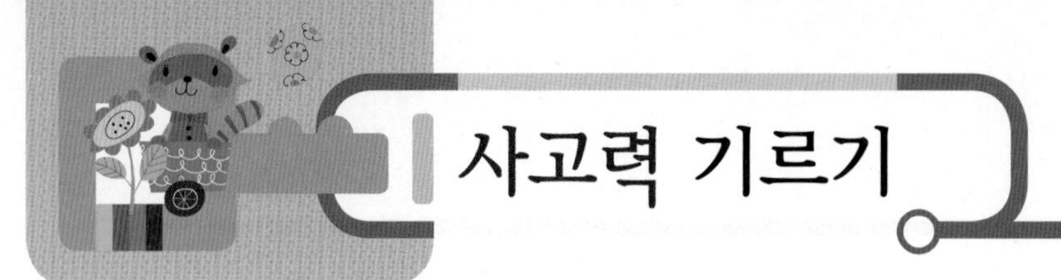

01 [2], [4], [6], [7], [8], [10] 의 수 카드 중 2장을 사용하여 다음과 크기가 같은 분수를 만들려고 합니다. 6장의 수 카드 중 사용되지 않는 수 카드는 무엇입니까?

$\frac{1}{2}, \frac{1}{3}, \frac{2}{3}, \frac{1}{4}, \frac{2}{4}, \frac{3}{4}, \frac{1}{5}, \frac{2}{5}, \frac{3}{5}, \frac{4}{5}$

(　　　　　　　　　　)

02 [2], [3], [4], [5], [6], [8] 의 수 카드 중 2장을 사용하여 다음과 크기가 같은 분수를 만들 때 만들 수 없는 분수는 어느 것입니까?

$\frac{1}{2}, \frac{1}{3}, \frac{2}{3}, \frac{1}{4}, \frac{2}{4}, \frac{3}{4}, \frac{1}{5}, \frac{2}{5}, \frac{3}{5}, \frac{4}{5}$

(　　　　　　　　　　)

03 [2], [6], [8], [9], [10], [12] 의 수 카드 중 2장을 사용하여 다음과 크기가 같은 분수를 만들 때 만들 수 없는 분수는 어느 것입니까?

$\frac{1}{2}, \frac{1}{3}, \frac{2}{3}, \frac{1}{4}, \frac{2}{4}, \frac{3}{4}, \frac{1}{5}, \frac{2}{5}, \frac{3}{5}, \frac{4}{5}$

(　　　　　　　　　　)

서로 다른 6장의 수 카드 중 2장을 사용하여 오른쪽과 크기가 같은 분수를 만들려고 합니다. ☆과 ♡에 알맞은 수를 구하시오. (단, ♡는 ☆보다 작습니다.) (04~07)

04

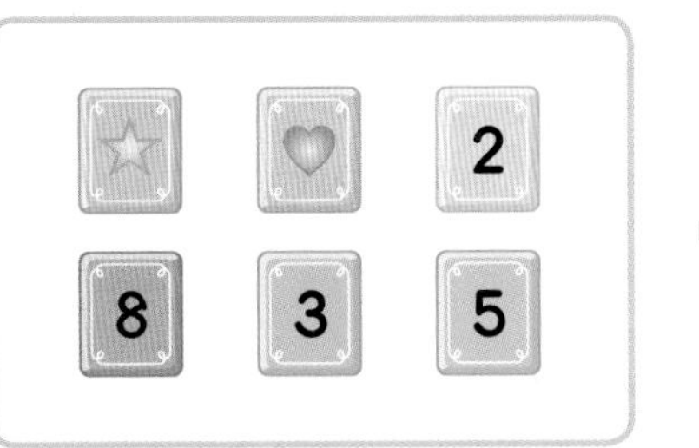

➡ $\frac{1}{2}$, $\frac{1}{3}$, $\frac{2}{3}$, $\frac{1}{4}$, $\frac{2}{4}$, $\frac{3}{4}$, $\frac{1}{5}$, $\frac{2}{5}$, $\frac{3}{5}$, $\frac{4}{5}$, $\frac{3}{8}$, $\frac{5}{8}$

♡ = ☐　　☆ = ☐

05

➡ $\frac{1}{2}$, $\frac{1}{3}$, $\frac{2}{3}$, $\frac{3}{4}$, $\frac{1}{5}$, $\frac{2}{5}$, $\frac{3}{5}$, $\frac{4}{5}$, $\frac{3}{8}$, $\frac{3}{10}$

♡ = ☐　　☆ = ☐

06

➡ $\frac{1}{2}$, $\frac{1}{3}$, $\frac{2}{3}$, $\frac{1}{4}$, $\frac{3}{4}$, $\frac{3}{5}$, $\frac{4}{5}$, $\frac{5}{6}$, $\frac{3}{8}$, $\frac{8}{9}$

♡ = ☐　　☆ = ☐

07

2　3　5
☆　♡　15

➡ $\frac{1}{2}$, $\frac{1}{3}$, $\frac{2}{3}$, $\frac{3}{4}$, $\frac{2}{5}$, $\frac{3}{5}$, $\frac{4}{5}$, $\frac{2}{9}$, $\frac{4}{9}$, $\frac{5}{9}$, $\frac{2}{15}$

♡ = ☐　　☆ = ☐

실력 점검

01 그림을 보고 □ 안에 알맞은 수를 써넣으시오.

색칠한 부분은 전체를 똑같이 6으로 나눈 것 중의 □이므로

$\frac{\square}{6}$ 라 쓰고 □분의 □라고 읽습니다.

분수만큼 색칠하시오. (02~05)

02 $\frac{2}{4}$ ➡

03 $\frac{4}{5}$ ➡

04 $\frac{3}{8}$ ➡

05 $\frac{7}{10}$ ➡

06 다음에서 색칠한 부분을 비교하여 □ 안에 알맞은 수를 써넣으시오.

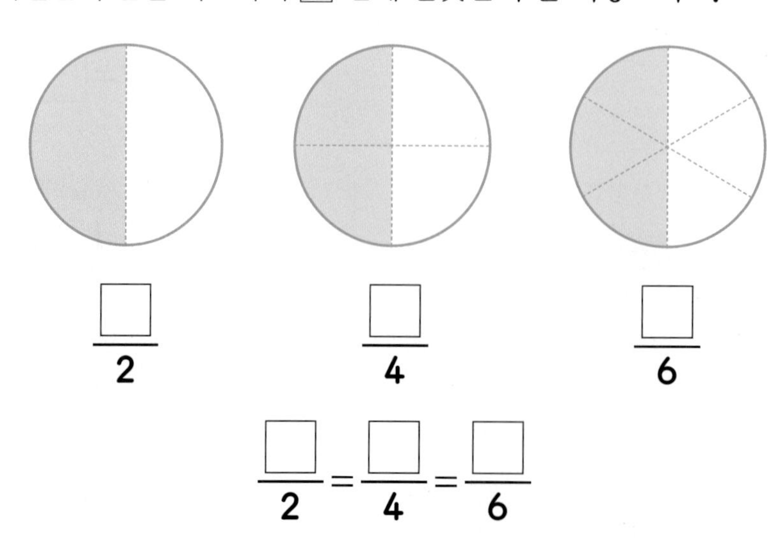

$\frac{\square}{2}$ $\frac{\square}{4}$ $\frac{\square}{6}$

$\frac{\square}{2} = \frac{\square}{4} = \frac{\square}{6}$

실력 점검

다음에서 색칠한 부분을 분수로 나타내려고 합니다. □ 안에 알맞은 수를 써넣으시오.

(07~08)

07 (색칠한 막대) ➡ $\frac{\square}{\square} = \frac{\square}{\square}$

08 (색칠한 사각형) ➡ $\frac{\square}{\square} = \frac{\square}{\square} = \frac{\square}{\square}$

09 1, 3, 5, 7, 9, 10 의 수 카드 중 **2**장을 사용하여 다음과 크기가 같은 분수를 만들려고 합니다. **6**장의 수 카드 중 사용되지 않는 수 카드는 무엇입니까?

$\frac{3}{5}$ $\frac{1}{2}$ $\frac{5}{9}$ $\frac{1}{9}$ $\frac{1}{3}$ $\frac{3}{10}$

( )

10 서로 다른 수 카드 중 **2**장을 사용하여 오른쪽과 크기가 같은 분수를 만들려고 합니다. ☆과 ♥에 알맞은 수를 구하시오. (단, ☆은 ♥보다 작습니다.)

2	☆	♥
8	10	12

➡ $\frac{1}{2}$, $\frac{1}{3}$, $\frac{1}{4}$, $\frac{1}{5}$, $\frac{1}{6}$, $\frac{2}{3}$
$\frac{2}{5}$, $\frac{3}{4}$, $\frac{3}{5}$, $\frac{4}{5}$, $\frac{5}{6}$

☆= □ ♥= □

10 분수만큼은 얼마인지 알아보기

개념

분수만큼은 얼마인지 알아보기

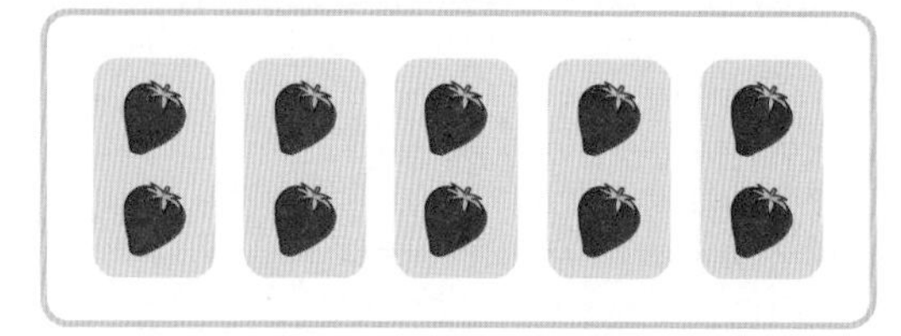

- 10개를 똑같이 5묶음으로 나눈 것 중의 1묶음은 2개입니다.

  ➡ 10의 $\frac{1}{5}$은 2입니다.

- 10개를 똑같이 5묶음으로 나눈 것 중의 3묶음은 6개입니다.

  ➡ 10의 $\frac{3}{5}$은 6입니다.

그림을 보고 물음에 답하시오. (01~02)

01

(1) 한 묶음은 전체의 몇 분의 몇입니까? (　　　　　　　)

(2) 18의 $\frac{1}{6}$은 얼마입니까? (　　　　　　　)

(3) 18의 $\frac{5}{6}$는 얼마입니까? (　　　　　　　)

02

(1) 12의 $\frac{1}{4}$은 얼마입니까? (　　　　　　　)

(2) 12의 $\frac{3}{4}$은 얼마입니까? (　　　　　　　)

그림을 보고 □ 안에 알맞은 수를 써넣으시오. (03~04)

03

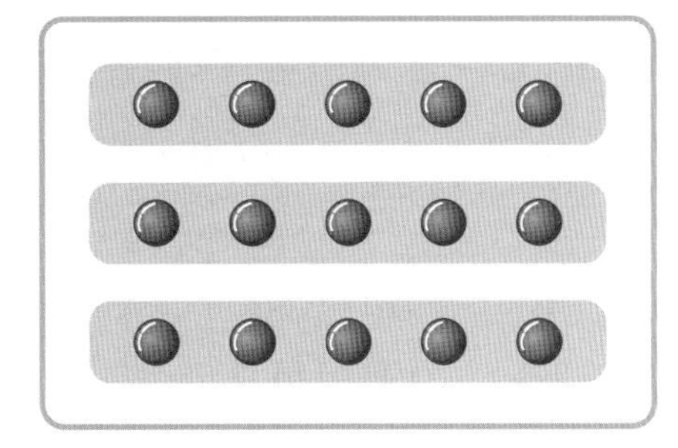

15의 $\frac{1}{3}$은 □입니다.

04

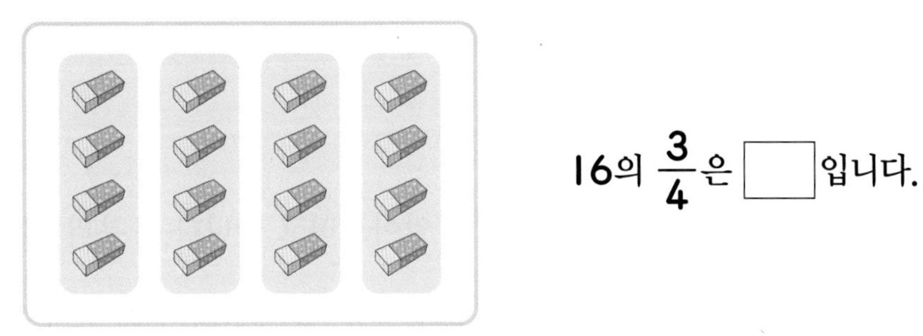

16의 $\frac{3}{4}$은 □입니다.

05 16의 $\frac{3}{8}$만큼 색칠하시오.

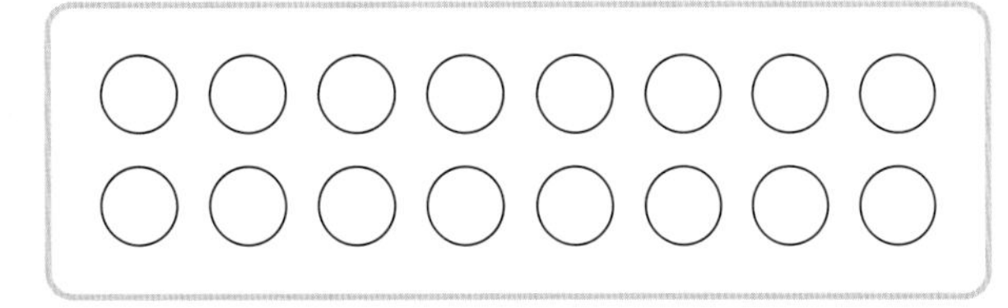

□ 안에 알맞은 수를 써넣으시오. (06~11)

06 18의 $\frac{1}{2}$은 □입니다.

07 21의 $\frac{3}{7}$은 □입니다.

08 15의 $\frac{1}{5}$은 □입니다.

09 27의 $\frac{7}{9}$은 □입니다.

10 20의 $\frac{1}{4}$은 □입니다.

11 36의 $\frac{4}{6}$는 □입니다.

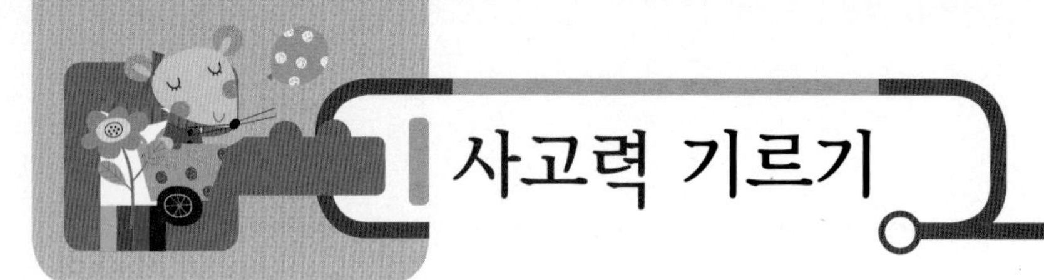

사고력 기르기 Step 1

01 12의 $\frac{\heartsuit}{\star}$는 ■일 때, ■는 얼마인지 알아보려고 합니다. 1부터 12까지의 수 중에서 ■가 될 수 있는 수를 찾아 ○표 하고 모두 몇 개인지 구해 보시오.

(단, $\heartsuit < \star < 12$입니다.)

1	2	3	4	5	6
7	8	9	10	11	12

□개

02 20의 $\frac{\heartsuit}{\star}$는 ■일 때, ■는 얼마인지 알아보려고 합니다. 1부터 20까지의 수 중에서 ■가 될 수 있는 수를 찾아 ○표 하고 모두 몇 개인지 구해 보시오.

(단, $\heartsuit < \star < 20$입니다.)

1	2	3	4	5	6	7	8	9	10
11	12	13	14	15	16	17	18	19	20

□개

03 28의 $\frac{\heartsuit}{\star}$는 ■일 때, ■는 얼마인지 알아보려고 합니다. 1부터 28까지의 수 중에서 ■가 될 수 있는 수를 찾아 ○표 하고 모두 몇 개인지 구해 보시오.

(단, $\heartsuit < \star < 28$입니다.)

1	2	3	4	5	6	7	8	9	10
11	12	13	14	15	16	17	18	19	20
21	22	23	24	25	26	27	28	29	30

□개

Step 1

다음에서 ●, ☆, ♥는 서로 다른 수이고 ●>☆>♥입니다. ●의 수를 되도록 작게 할 때 ●, ☆, ♥에 알맞은 수를 구하시오. (04~10)

04 ●의 $\frac{♥}{☆}$는(은) 2입니다. ➡ ●=□ ☆=□ ♥=□

05 ●의 $\frac{♥}{☆}$는(은) 4입니다. ➡ ●=□ ☆=□ ♥=□

06 ●의 $\frac{♥}{☆}$는(은) 5입니다. ➡ ●=□ ☆=□ ♥=□

07 ●의 $\frac{♥}{☆}$는(은) 6입니다. ➡ ●=□ ☆=□ ♥=□

08 ●의 $\frac{♥}{☆}$는(은) 9입니다. ➡ ●=□ ☆=□ ♥=□

09 ●의 $\frac{♥}{☆}$는(은) 12입니다. ➡ ●=□ ☆=□ ♥=□

10 ●의 $\frac{♥}{☆}$는(은) 16입니다. ➡ ●=□ ☆=□ ♥=□

사고력 기르기

Step 2

다음에서 분수는 모두 분모가 분자보다 큽니다. $\star$과 $\heartsuit$에 알맞은 수를 구해 보시오.

(01~04)

01

12의 $\frac{\star}{4}$과 20의 $\frac{\heartsuit}{5}$의 합은 11입니다.

$\star=\square$ $\heartsuit=\square$

02

14의 $\frac{\star}{7}$과 18의 $\frac{\heartsuit}{6}$의 합은 19입니다.

$\star=\square$ $\heartsuit=\square$ 또는 $\star=\square$ $\heartsuit=\square$

03

25의 $\frac{\star}{5}$과 40의 $\frac{5}{\heartsuit}$의 합은 40입니다.

$\star=\square$ $\heartsuit=\square$ 또는 $\star=\square$ $\heartsuit=\square$

04

24의 $\frac{\star}{8}$과 36의 $\frac{6}{\heartsuit}$의 합은 33입니다.

$\star=\square$ $\heartsuit=\square$ 또는 $\star=\square$ $\heartsuit=\square$ 또는 $\star=\square$ $\heartsuit=\square$

다음의 ☆과 ♡에 알맞은 수를 각각 구해 보시오. (단, ☆ < ♡입니다.) (05~08)

05

☆의 $\frac{1}{2}$과 ♡의 $\frac{1}{3}$의 합은 6입니다.

☆=□ ♡=□ 또는 ☆=□ ♡=□ 또는 ☆=□ 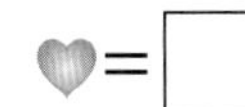 ♡=□

06

☆의 $\frac{3}{5}$과 ♡의 $\frac{2}{3}$의 합은 17입니다.

☆=□ ♡=□

07

☆의 $\frac{3}{4}$과 ♡의 $\frac{5}{6}$의 합은 29입니다.

☆=□ ♡=□

08

☆의 $\frac{2}{5}$와 ♡의 $\frac{4}{7}$의 합은 34입니다.

☆=□ ♡=□ 또는 ☆=□ ♡=□ 또는 ☆=□ 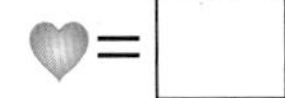 ♡=□

실력 점검

그림을 보고 □ 안에 알맞은 수를 써넣으시오. (01~02)

01

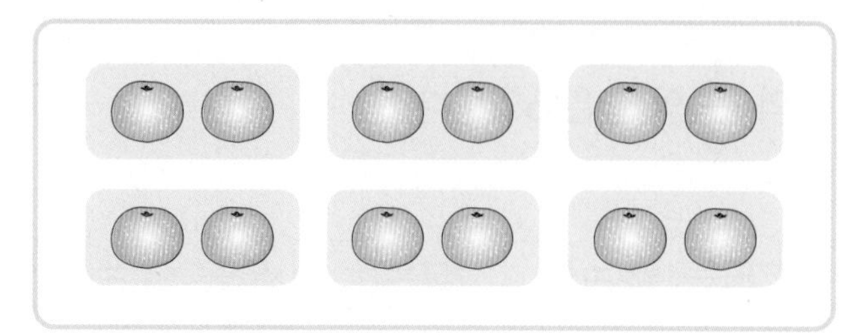

12의 $\frac{1}{6}$은 □입니다.

02

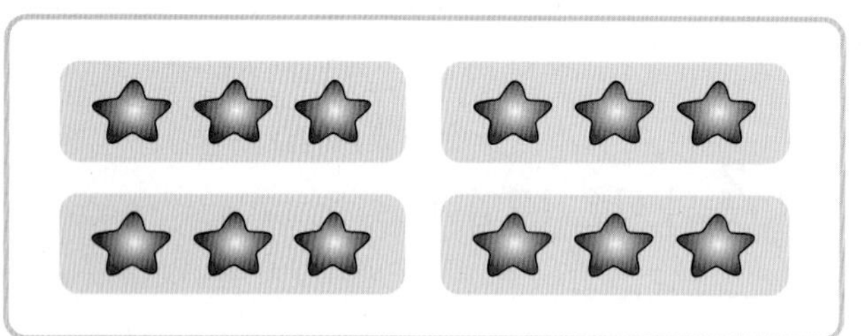

12의 $\frac{3}{4}$은 □입니다.

03 18의 $\frac{4}{6}$만큼 색칠하시오.

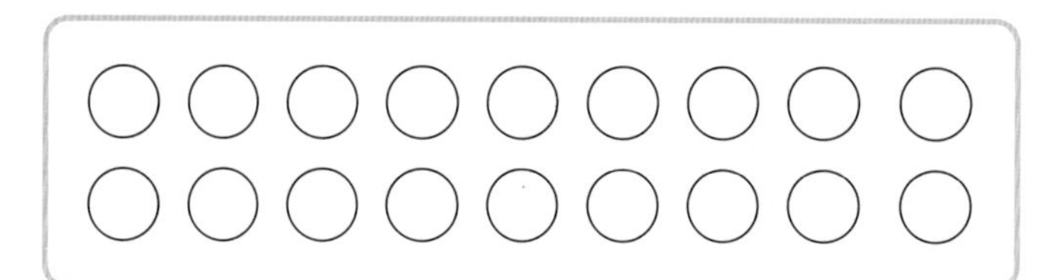

□ 안에 알맞은 수를 써넣으시오. (04~09)

04 10의 $\frac{1}{5}$은 □입니다.

05 12의 $\frac{2}{3}$는 □입니다.

06 14의 $\frac{1}{7}$은 □입니다.

07 15의 $\frac{3}{5}$은 □입니다.

08 16의 $\frac{1}{4}$은 □입니다.

09 20의 $\frac{3}{4}$은 □입니다.

10 16의 $\frac{♥}{☆}$는 ■일 때, ■는 얼마인지 알아보려고 합니다. 1부터 16까지의 수 중에서 ■가 될 수 있는 수를 찾아 ○표 하고 모두 몇 개인지 구해 보시오.

(단, ♥ < ☆ < 16입니다.)

1	2	3	4	5	6	7	8
9	10	11	12	13	14	15	16

( )

다음에서 ●, ☆, ♥는 서로 다른 수이고 ● > ☆ > ♥입니다. ●의 수를 되도록 작게 할 때 ●, ☆, ♥에 알맞은 수를 구하시오. (11~12)

11

●의 $\frac{♥}{☆}$는 3입니다.

➡ ● = □ ☆ = □ ♥ = □

12

●의 $\frac{♥}{☆}$는 8입니다.

➡ ● = □ ☆ = □ ♥ = □

13 다음에서 분수는 모두 분모가 분자보다 큽니다. ☆과 ♥에 알맞은 수를 구하시오.

16의 $\frac{☆}{4}$과 25의 $\frac{♥}{5}$의 합은 28입니다.

☆ = □ ♥ = □

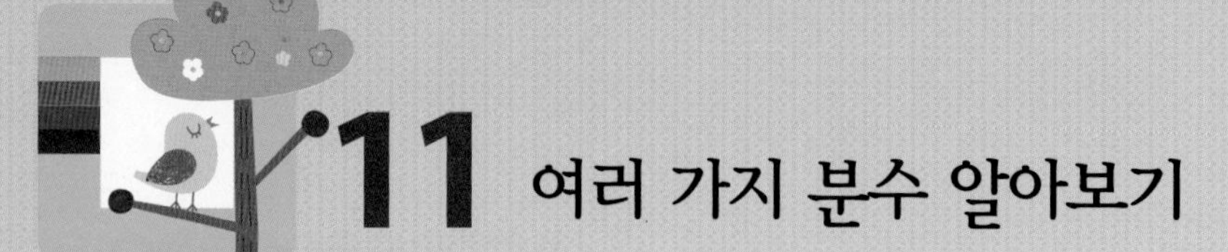

11 여러 가지 분수 알아보기

개념

여러 가지 분수 알아보기

- $\frac{1}{4}$, $\frac{2}{4}$, $\frac{3}{4}$과 같이 분자가 분모보다 작은 분수를 진분수라고 합니다.
- $\frac{4}{4}$, $\frac{5}{4}$, $\frac{6}{4}$과 같이 분자가 분모와 같거나 분모보다 큰 분수를 가분수라고 합니다.
- 1과 $\frac{1}{4}$은 $1\frac{1}{4}$이라 쓰고 1과 4분의 1이라고 읽습니다.

  $1\frac{1}{4}$과 같이 자연수와 진분수로 이루어진 분수를 대분수라고 합니다.
- $\frac{4}{4}$는 1과 같습니다. 1, 2, 3과 같은 수를 자연수라고 합니다.

분수를 보고 물음에 답하시오. (01~04)

$\frac{1}{7}$ $\frac{3}{7}$ $\frac{5}{7}$ $\frac{7}{7}$ $\frac{10}{7}$ $\frac{13}{7}$

01 분자가 분모보다 작은 분수를 모두 찾아 쓰시오.

( )

02 분자가 분모보다 큰 분수를 모두 찾아 쓰시오.

( )

03 분자와 분모가 같은 분수를 찾아 쓰시오.

( )

04 1과 크기가 같은 분수를 찾아 쓰시오.

( )

전체에 대하여 색칠한 부분의 크기를 진분수로 나타내시오. (05~08)

05

(　　　　　　　)

06

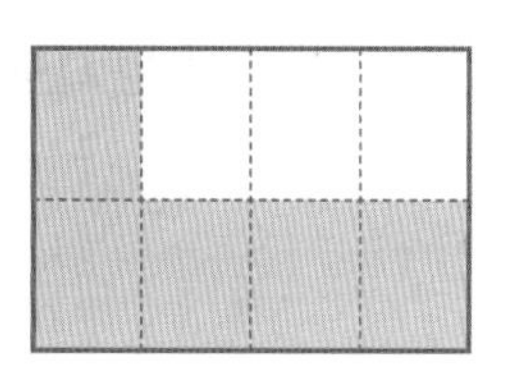

(　　　　　　　)

07

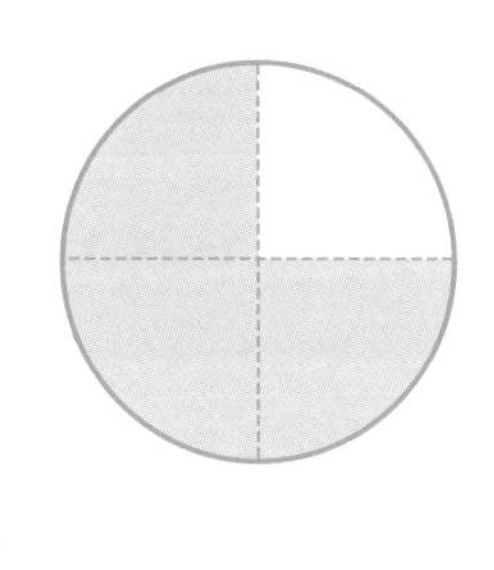

(　　　　　　　)

08

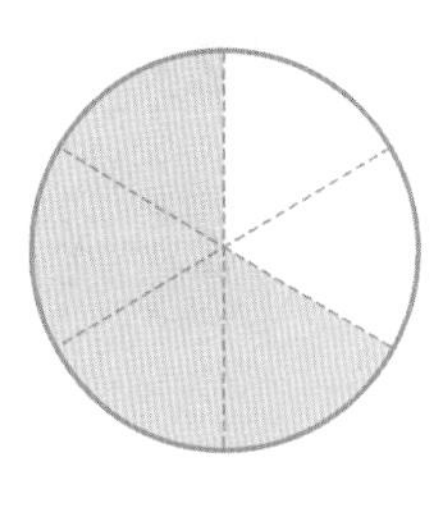

(　　　　　　　)

전체에 대하여 색칠한 부분의 크기를 가분수로 나타내시오. (09~10)

09

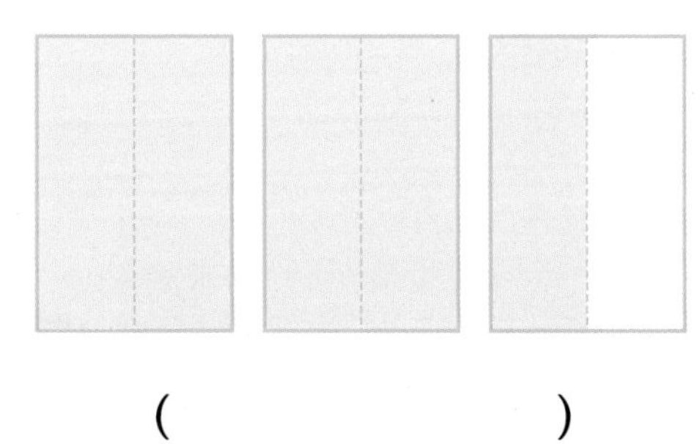

(　　　　　　　)

10

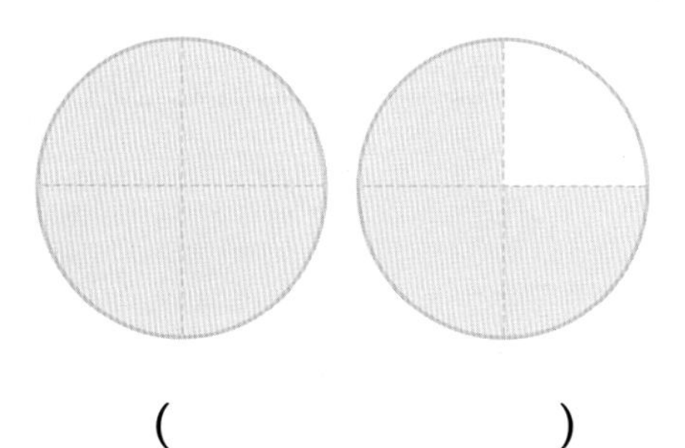

(　　　　　　　)

전체에 대하여 색칠한 부분의 크기를 대분수로 나타내시오. (11~12)

11

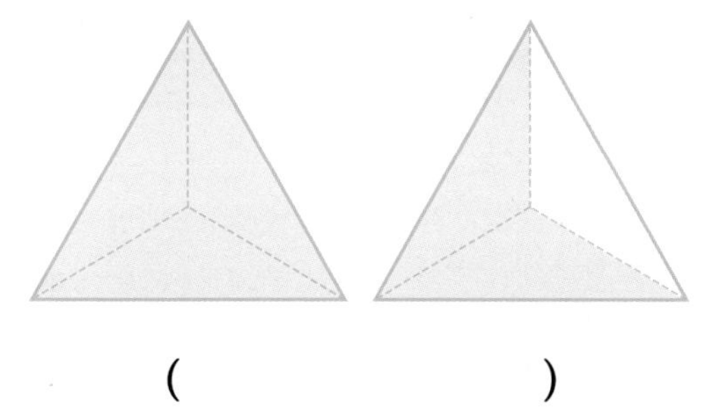

(　　　　　　　)

12

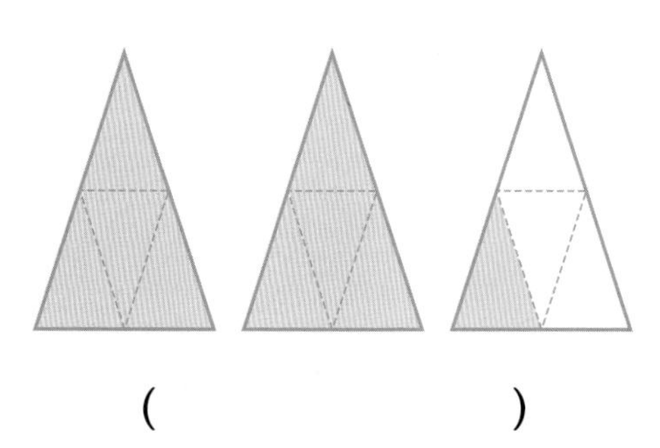

(　　　　　　　)

다음의 숫자 카드 중 2장을 사용하여 진분수를 만들어 보고, 만들 수 있는 진분수는 모두 몇 개인지 구해 보시오. (01~03)

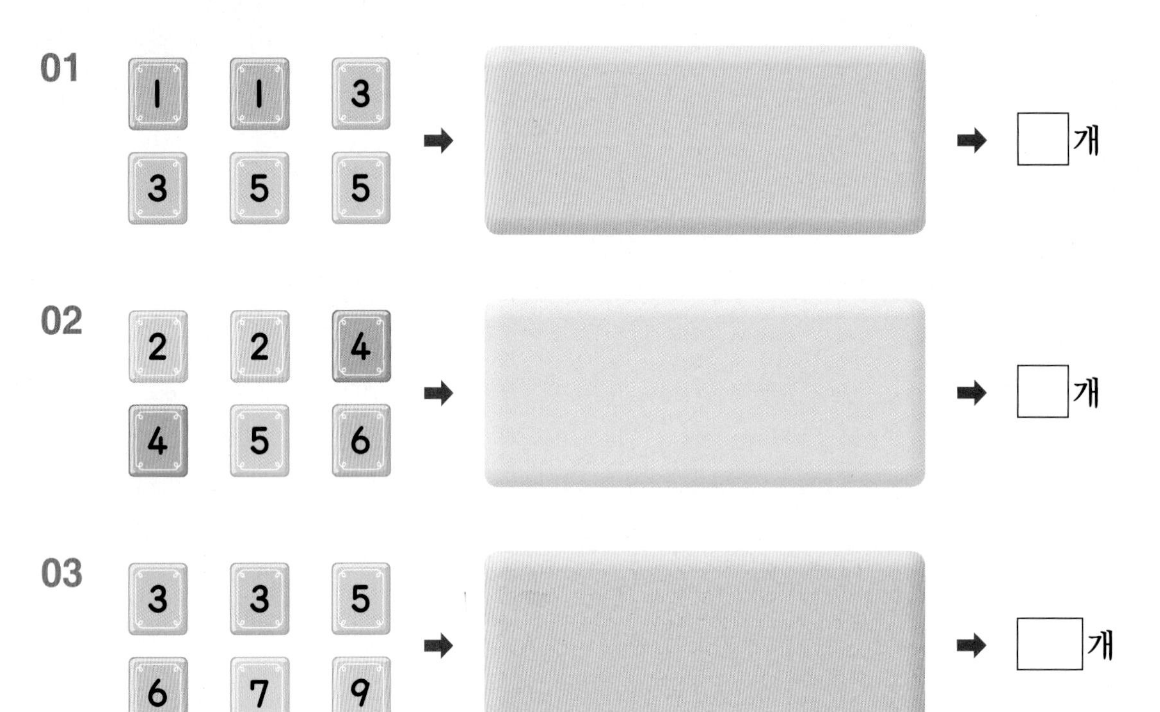

다음의 숫자 카드 중 2장을 사용하여 가분수를 만들어 보고, 만들 수 있는 가분수는 모두 몇 개인지 구해 보시오. (04~06)

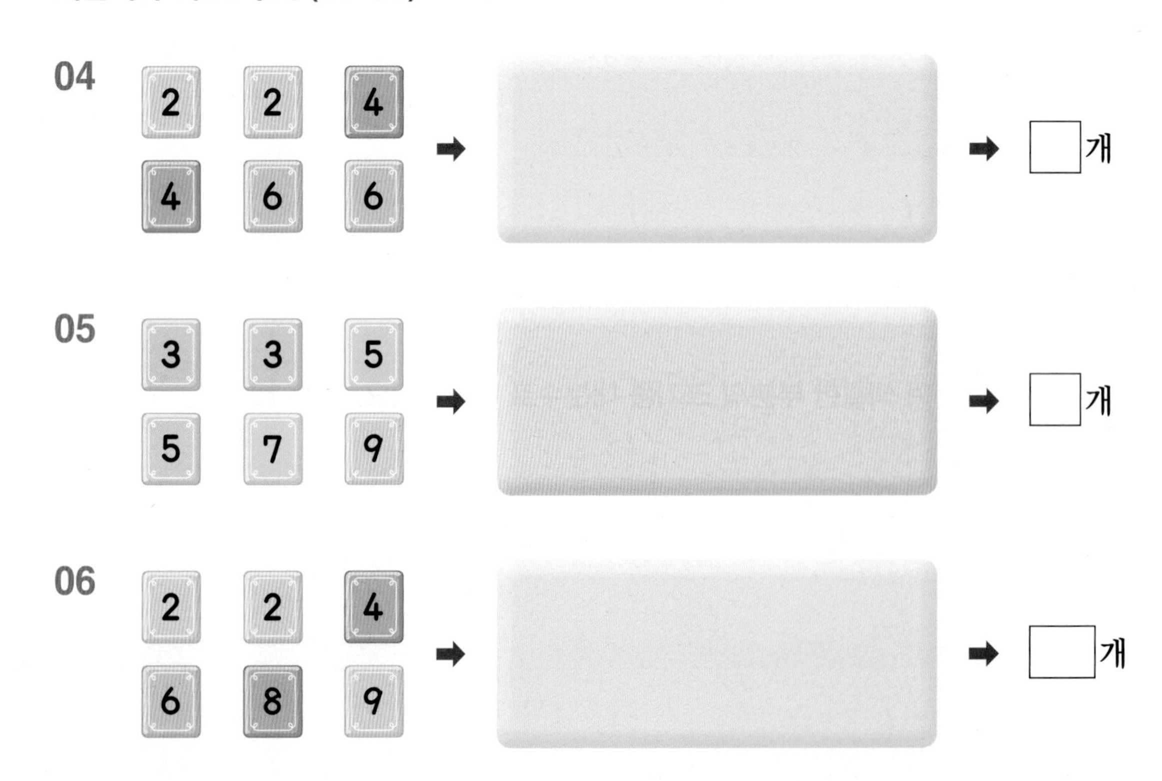

다음의 숫자 카드 중 3장을 사용하여 대분수를 만들어 보고, 만들 수 있는 대분수는 모두 몇 개인지 구해 보시오. (07~10)

07

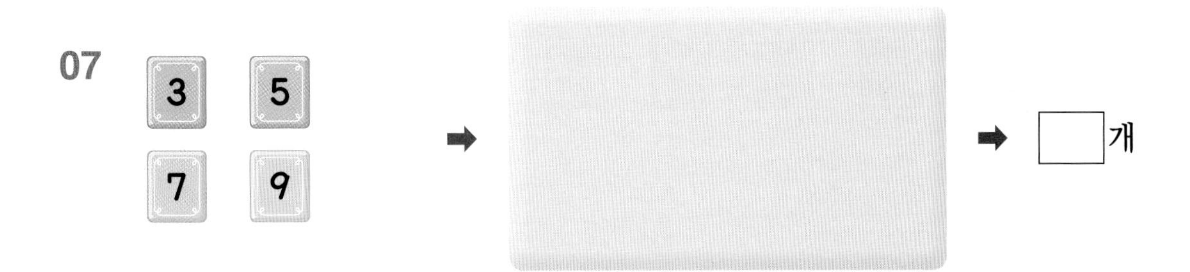

08

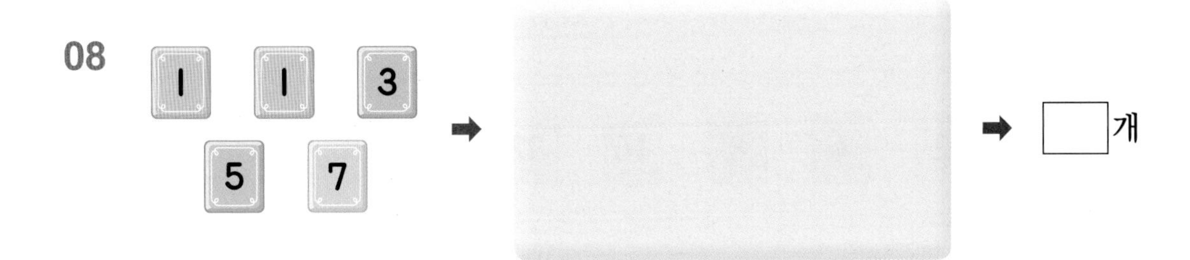

09

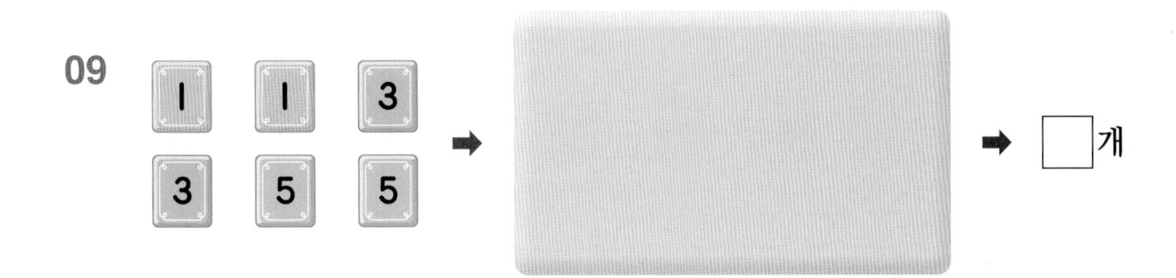

10

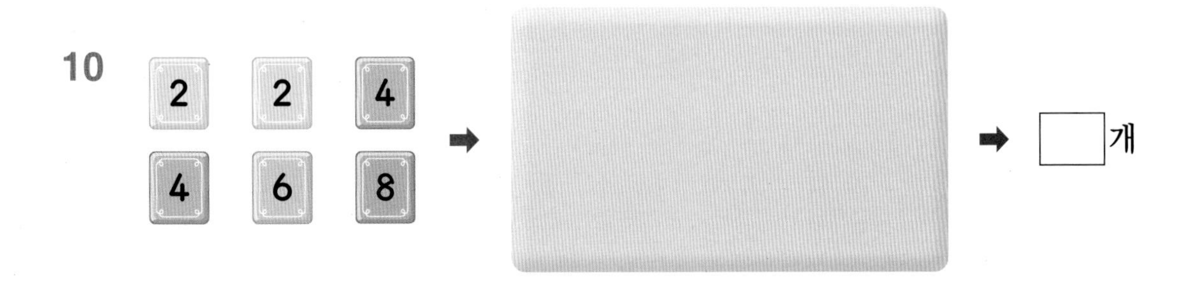

사고력 기르기

Step 2

서로 다른 수 카드 중 2장을 사용하여 크기가 다른 진분수를 만들려고 합니다. 만들 수 있는 크기가 다른 진분수는 모두 몇 개인지 구하시오. (01~03)

01

1	2	4	8

( )

02

1	3	6	9	27

( )

03

2	4	8	16	32

( )

서로 다른 수 카드 중 2장을 사용하여 크기가 다른 가분수를 만들려고 합니다. 만들 수 있는 크기가 다른 가분수는 모두 몇 개인지 구하시오. (04~06)

04

2	4	6	8

( )

05

2	3	4	6	8

( )

06

3	4	6	8	9

( )

Step 2

서로 다른 숫자 카드 중 2장을 사용하여 만들 수 있는 진분수를 모두 만들 때, 만든 진분수의 분모들의 합이 다음과 같습니다. 이때 ☆에 알맞은 수를 구해 보시오. (07~08)

07

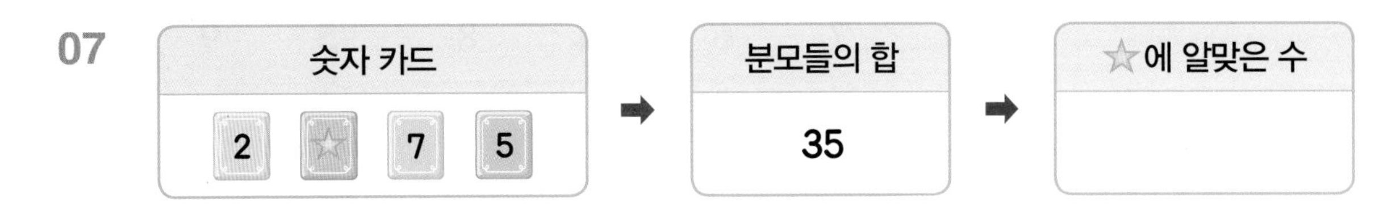

08

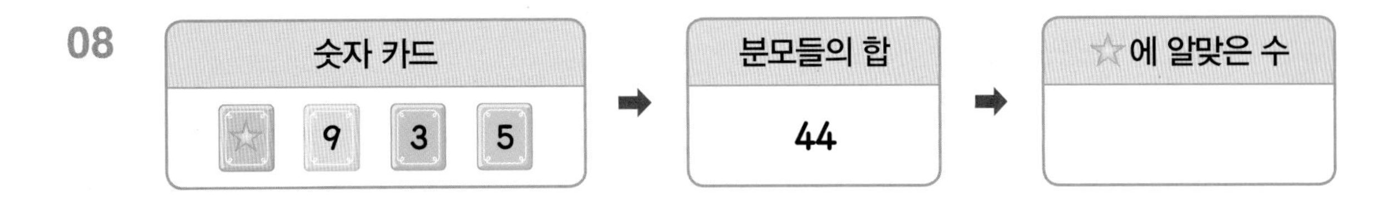

서로 다른 숫자 카드 중 2장을 사용하여 만들 수 있는 가분수를 모두 만들 때, 만든 가분수의 분모들의 합이 다음과 같습니다. 이때 ♡에 알맞은 수를 구해 보시오. (09~10)

09

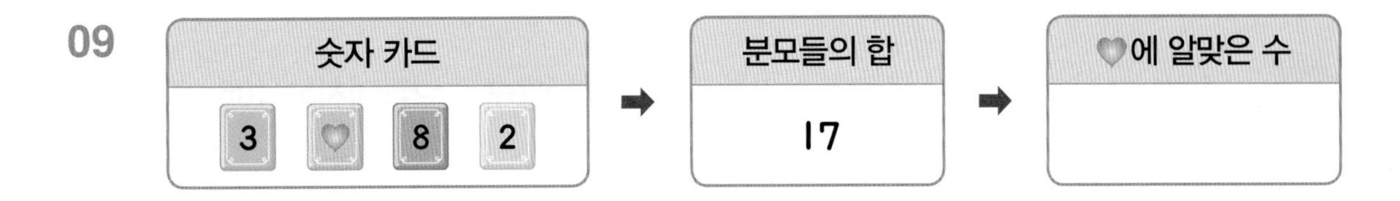

10

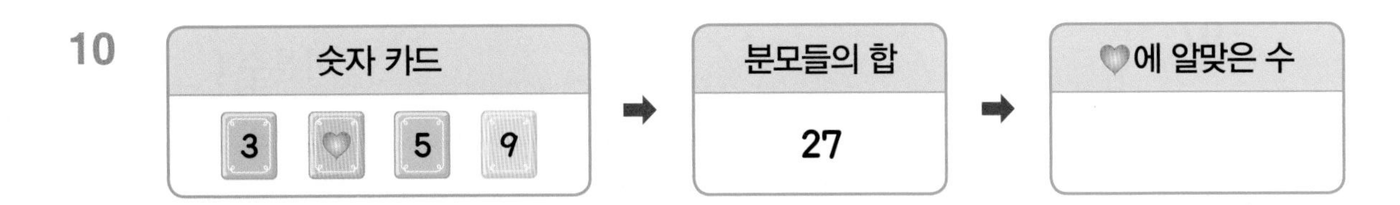

실력 점검

분수를 보고 물음에 답하시오. (01~03)

$\frac{3}{5}$	$\frac{9}{7}$	$\frac{5}{6}$	$1\frac{3}{4}$	$\frac{8}{8}$	$2\frac{1}{5}$	$\frac{2}{9}$

01 진분수를 모두 찾아 쓰시오. (　　　　　　)

02 가분수를 모두 찾아 쓰시오. (　　　　　　)

03 대분수를 모두 찾아 쓰시오. (　　　　　　)

전체에 대하여 색칠한 부분의 크기를 진분수로 나타내시오. (04~05)

04
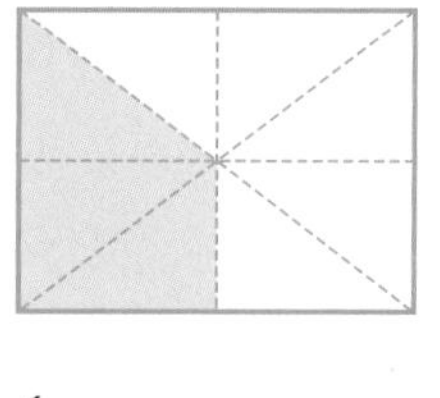
(　　　　　　)

05
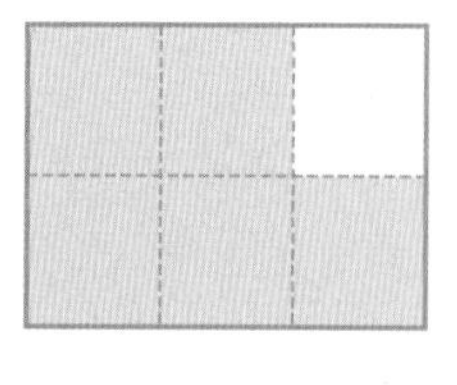
(　　　　　　)

전체에 대하여 색칠한 부분의 크기를 가분수와 대분수로 나타내시오. (06~07)

06
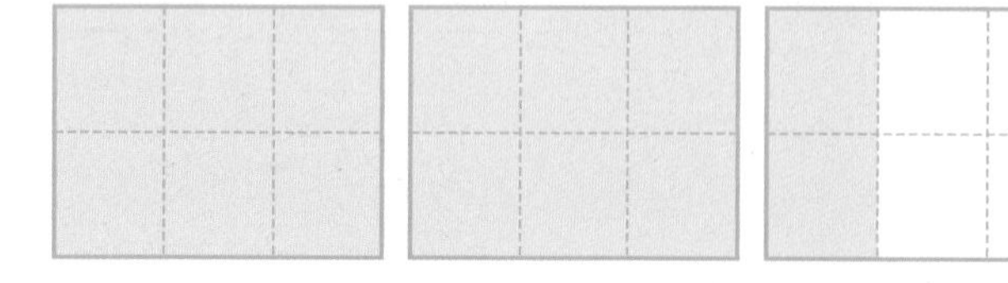
가분수 (　　　　　　)
대분수 (　　　　　　)

07
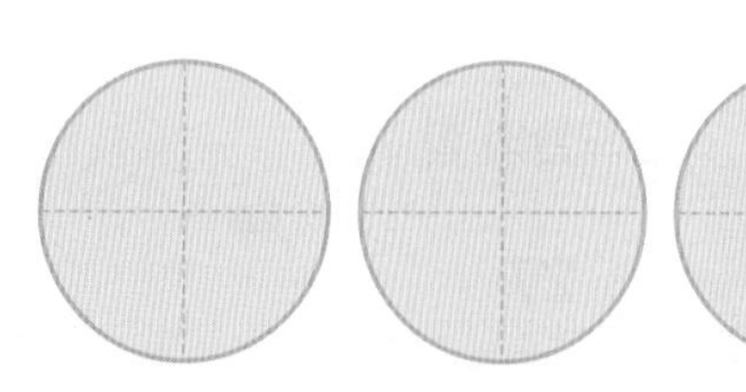
가분수 (　　　　　　)
대분수 (　　　　　　)

08 다음의 숫자 카드 중 **2**장을 사용하여 진분수를 만들어 보고, 만들 수 있는 진분수는 모두 몇 개인지 구하시오.

09 다음의 숫자 카드 중 **2**장을 사용하여 가분수를 만들어 보고, 만들 수 있는 가분수는 모두 몇 개인지 구하시오.

10 다음의 숫자 카드 중 **3**장을 사용하여 대분수를 만들어 보고, 만들 수 있는 대분수는 모두 몇 개인지 구하시오.

2 2 4
4 6 6

➡ ☐개

11 서로 다른 숫자 카드 중 **2**장을 사용하여 만들 수 있는 진분수를 모두 만들고, 만든 진분수의 분모들의 합을 구하시오.

숫자 카드	분수	분모들의 합
3 4 5 6		

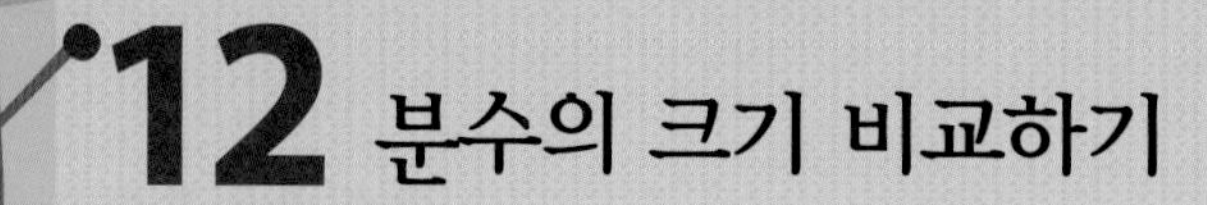

12 분수의 크기 비교하기

개념

1. 분모가 같은 대분수끼리의 크기 비교하기

• 자연수 부분이 더 큰 대분수가 큽니다.
• 자연수 부분의 크기가 같으면 분자가 더 큰 대분수가 큽니다.

예 $2\frac{1}{4} > 1\frac{3}{4}$, $3\frac{2}{5} < 3\frac{4}{5}$

2. 분모가 같은 대분수와 가분수의 크기 비교하기

• $2\frac{1}{4}$과 $\frac{10}{4}$의 비교

① $2\frac{1}{4}$을 가분수로 나타내면 $\frac{9}{4}$이므로 $\frac{9}{4} < \frac{10}{4}$에서 $2\frac{1}{4} < \frac{10}{4}$입니다.

② $\frac{10}{4}$을 대분수로 나타내면 $2\frac{2}{4}$이므로 $2\frac{1}{4} < 2\frac{2}{4}$에서 $2\frac{1}{4} < \frac{10}{4}$입니다.

분수만큼 색칠하고 ◯ 안에 >, =, <를 알맞게 써넣으시오. (01~02)

01 $2\frac{1}{3}$

$1\frac{2}{3}$

$2\frac{1}{3}$ ◯ $1\frac{2}{3}$

02

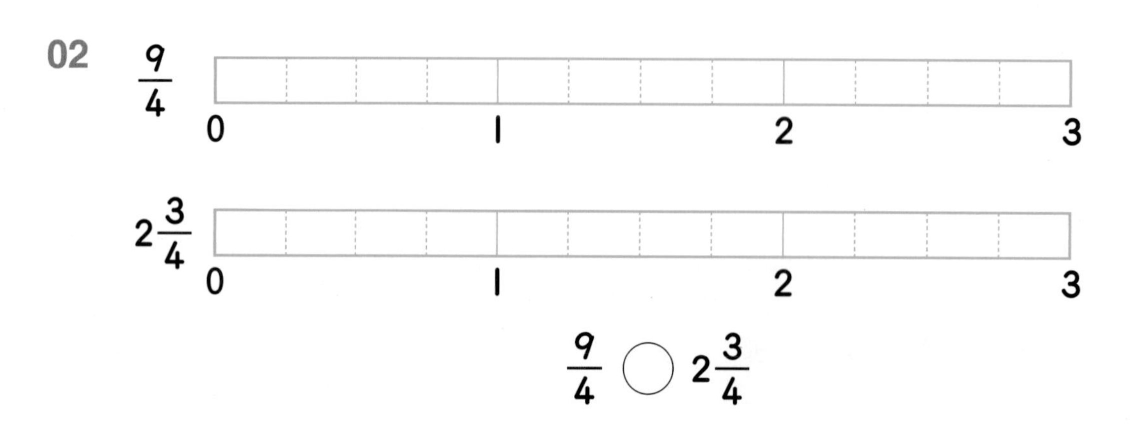

$\frac{9}{4}$ ◯ $2\frac{3}{4}$

두 분수의 크기를 비교하여 ◯ 안에 >, =, <를 알맞게 써넣으시오. (03~08)

03 $5\frac{3}{8}$ ◯ $4\frac{5}{8}$

04 $3\frac{6}{7}$ ◯ $2\frac{3}{7}$

05 $4\frac{5}{9}$ ◯ $4\frac{6}{9}$

06 $3\frac{4}{5}$ ◯ $3\frac{2}{5}$

07 $6\frac{4}{10}$ ◯ $6\frac{7}{10}$

08 $9\frac{7}{12}$ ◯ $9\frac{11}{12}$

두 분수의 크기를 비교하여 ◯ 안에 >, =, <를 알맞게 써넣으시오. (09~14)

09 $\frac{7}{2}$ ◯ $4\frac{1}{2}$

10 $3\frac{1}{3}$ ◯ $\frac{11}{3}$

11 $\frac{16}{5}$ ◯ $3\frac{2}{5}$

12 $4\frac{3}{4}$ ◯ $\frac{18}{4}$

13 $\frac{8}{3}$ ◯ $1\frac{2}{3}$

14 $5\frac{6}{7}$ ◯ $\frac{43}{7}$

가장 큰 분수부터 차례로 써 보시오. (15~16)

15

$1\frac{6}{14}$ $\frac{15}{14}$ $1\frac{9}{14}$ $\frac{26}{14}$

( )

16

$2\frac{11}{15}$ $\frac{39}{15}$ $2\frac{8}{15}$ $\frac{40}{15}$

( )

Step 1

주어진 5장의 수 카드를 □ 안에 모두 넣어 크기가 같은 분수를 만들어 보시오. (01~03)

01

➡ $\frac{\square}{\square} = \square\frac{\square}{\square}$

02

2 2 3 3 8

➡ $\frac{\square}{\square} = \square\frac{\square}{\square}$

03

1 3 4 4 13

➡ $\frac{\square}{\square} = \square\frac{\square}{\square}$

04 주어진 **5**장의 숫자 카드 중 **3**장을 사용하여 대분수를 만들 때 **5**보다 큰 대분수를 모두 몇 개 만들 수 있는지 구하시오.

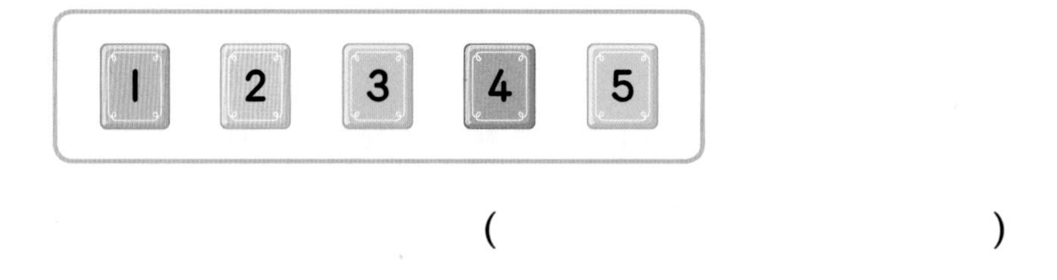

( )

05 주어진 **5**장의 숫자 카드 중 **3**장을 사용하여 대분수를 만들 때 **4**보다 작은 대분수를 모두 몇 개 만들 수 있는지 구하시오.

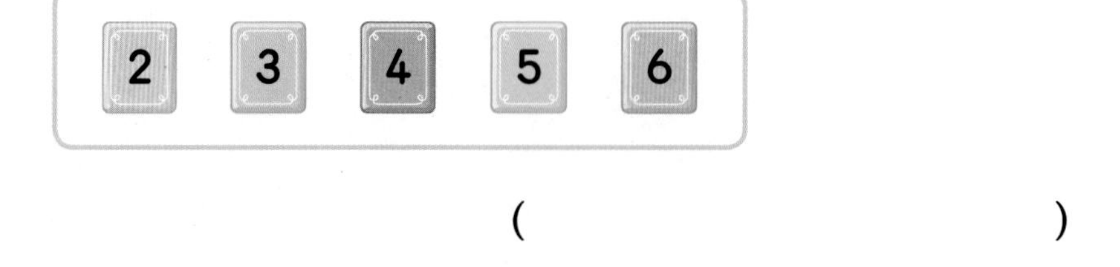

( )

☆에 들어갈 수 있는 수를 모두 구하시오. (06~08)

06

$$\frac{14}{5} < ☆\frac{3}{5} < \frac{31}{5}$$

(　　　　　　　　)

07

$$\frac{12}{7} < ☆\frac{6}{7} < \frac{36}{7}$$

(　　　　　　　　)

08

$$\frac{30}{9} < ☆\frac{4}{9} < \frac{60}{9}$$

(　　　　　　　　)

주어진 5장의 수 카드 중 2장을 사용하여 3보다 큰 가분수를 모두 몇 개 만들 수 있는지 구하시오. (09~11)

09

(　　　　　　　　)

10

(　　　　　　　　)

11

(　　　　　　　　)

사고력 기르기

Step 2

주어진 5장의 수 카드 중 2장을 사용하여 2보다 크고 3보다 작은 가분수를 모두 몇 개 만들 수 있는지 구하시오. (01~06)

01 | 3 | 5 | 7 | 9 | 11 | (　　　　　　　　)

02 | 4 | 9 | 10 | 12 | 20 | (　　　　　　　　)

03 | 3 | 7 | 8 | 12 | 15 | (　　　　　　　　)

04 | 2 | 4 | 5 | 9 | 11 | (　　　　　　　　)

05 | 5 | 10 | 13 | 15 | 27 | (　　　　　　　　)

06 | 2 | 5 | 12 | 14 | 29 | (　　　　　　　　)

다음 식에서 ☆과 ♡의 합이 가장 작을 때, ☆과 ♡에 알맞은 수를 각각 찾아 합을 구하시오. (07~09)

07

$\frac{☆}{3} > 5\frac{♡}{3}$

☆+♡=□+□=□

08

$\frac{☆}{8} > 3\frac{♡}{8}$

☆+♡=□+□=□

09

$\frac{☆}{15} > 4\frac{♡}{15}$

☆+♡=□+□=□

다음 식에서 ☆과 ♡의 합이 가장 클 때, ☆과 ♡에 알맞은 수를 각각 찾아 합을 구하시오. (10~12)

10

$2\frac{☆}{5} > \frac{♡}{5}$

☆+♡=□+□=□

11

$3\frac{☆}{12} > \frac{♡}{12}$

☆+♡=□+□=□

12

$5\frac{☆}{6} > \frac{♡}{6}$

☆+♡=□+□=□

실력 점검

01 분수만큼 색칠하고 ◯ 안에 >, =, <를 알맞게 써넣으시오.

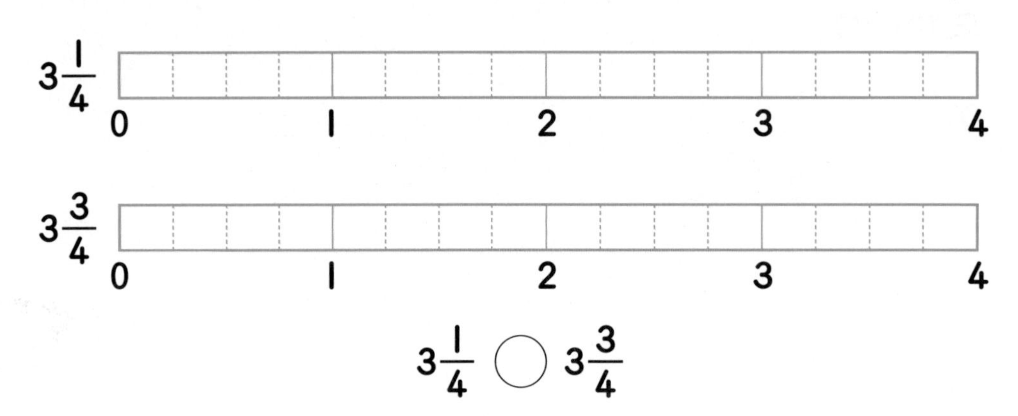

$3\frac{1}{4}$ ◯ $3\frac{3}{4}$

두 분수의 크기를 비교하여 ◯ 안에 >, =, <를 알맞게 써넣으시오. (02~09)

02 $4\frac{2}{8}$ ◯ $3\frac{4}{8}$

03 $5\frac{6}{9}$ ◯ $5\frac{7}{9}$

04 $3\frac{4}{10}$ ◯ $3\frac{8}{10}$

05 $7\frac{10}{12}$ ◯ $7\frac{7}{12}$

06 $3\frac{2}{3}$ ◯ $\frac{14}{3}$

07 $2\frac{3}{9}$ ◯ $\frac{20}{9}$

08 $3\frac{6}{10}$ ◯ $\frac{37}{10}$

09 $3\frac{4}{7}$ ◯ $\frac{24}{7}$

10 가장 큰 분수부터 차례로 써 보시오.

$1\frac{5}{7}$ $\frac{9}{7}$ $2\frac{1}{7}$ $\frac{13}{7}$

(　　　　　　　　　　)

주어진 5장의 숫자 카드를 □ 안에 모두 넣어 크기가 같은 분수를 만들어 보시오. (11~12)

11

1 3 4 4 7 ➡ $\square\frac{\square}{\square}=\frac{\square}{\square}$

12

1 2 7 7 9 ➡ $\square\frac{\square}{\square}=\frac{\square}{\square}$

주어진 5장의 숫자 카드 중 2장을 사용하여 2보다 큰 가분수를 모두 몇 개 만들 수 있는지 구하시오. (13~14)

13

3 4 7 8 9 (　　　　　　)

14

2 3 6 7 9 (　　　　　　)

15 다음 식에서 ☆과 ♥의 합이 가장 작을 때, ☆과 ♥에 알맞은 수를 각각 찾아 합을 구하시오.

$\frac{☆}{9}>6\frac{♥}{9}$

☆+♥=□+□=□

13 들이의 합과 차 알아보기

개념

1. 들이의 합

$$\begin{array}{r} 1\text{ L }200\text{ mL} \\ +\ 2\text{ L }300\text{ mL} \\ \hline \end{array} \Rightarrow \begin{array}{r} 1\text{ L }200\text{ mL} \\ +\ 2\text{ L }300\text{ mL} \\ \hline 500\text{ mL} \end{array} \Rightarrow \begin{array}{r} 1\text{ L }200\text{ mL} \\ +\ 2\text{ L }300\text{ mL} \\ \hline 3\text{ L }500\text{ mL} \end{array}$$

들이의 합은 mL는 mL끼리, L는 L끼리 더합니다.

2. 들이의 차

$$\begin{array}{r} 5\text{ L }600\text{ mL} \\ -\ 2\text{ L }300\text{ mL} \\ \hline \end{array} \Rightarrow \begin{array}{r} 5\text{ L }600\text{ mL} \\ -\ 2\text{ L }300\text{ mL} \\ \hline 300\text{ mL} \end{array} \Rightarrow \begin{array}{r} 5\text{ L }600\text{ mL} \\ -\ 2\text{ L }300\text{ mL} \\ \hline 3\text{ L }300\text{ mL} \end{array}$$

들이의 차는 mL는 mL끼리, L는 L끼리 뺍니다.

□ 안에 알맞은 수를 써넣으시오. (01~04)

01

$$\begin{array}{r} 4\text{ L }300\text{ mL} \\ +\ 2\text{ L }250\text{ mL} \\ \hline \end{array} \Rightarrow \begin{array}{r} 4\text{ L }300\text{ mL} \\ +\ 2\text{ L }250\text{ mL} \\ \hline \square\text{ mL} \end{array} \Rightarrow \begin{array}{r} 4\text{ L }300\text{ mL} \\ +\ 2\text{ L }250\text{ mL} \\ \hline \square\text{ L }\square\text{ mL} \end{array}$$

02

$$\begin{array}{r} 7\text{ L }800\text{ mL} \\ -\ 5\text{ L }450\text{ mL} \\ \hline \end{array} \Rightarrow \begin{array}{r} 7\text{ L }800\text{ mL} \\ -\ 5\text{ L }450\text{ mL} \\ \hline \square\text{ mL} \end{array} \Rightarrow \begin{array}{r} 7\text{ L }800\text{ mL} \\ -\ 5\text{ L }450\text{ mL} \\ \hline \square\text{ L }\square\text{ mL} \end{array}$$

03 $5\text{ L }200\text{ mL}+3\text{ L }700\text{ mL}=\square\text{ L }\square\text{ mL}$

04 $9\text{ L }700\text{ mL}-4\text{ L }500\text{ mL}=\square\text{ L }\square\text{ mL}$

계산을 하시오. (05~10)

05

$$\begin{array}{r} 3\,\mathrm{L}\ 400\,\mathrm{mL} \\ +\ 2\,\mathrm{L}\ 500\,\mathrm{mL} \\ \hline \end{array}$$

06

$$\begin{array}{r} 7\,\mathrm{L}\ 400\,\mathrm{mL} \\ -\ 2\,\mathrm{L}\ 300\,\mathrm{mL} \\ \hline \end{array}$$

07

$$\begin{array}{r} 4\,\mathrm{L}\ 750\,\mathrm{mL} \\ +\ 3\,\mathrm{L}\ 450\,\mathrm{mL} \\ \hline \end{array}$$

08

$$\begin{array}{r} 9\,\mathrm{L}\ 300\,\mathrm{mL} \\ -\ 3\,\mathrm{L}\ 500\,\mathrm{mL} \\ \hline \end{array}$$

09

$$\begin{array}{r} 6\,\mathrm{L}\ 250\,\mathrm{mL} \\ +\ 3\,\mathrm{L}\ 850\,\mathrm{mL} \\ \hline \end{array}$$

10

$$\begin{array}{r} 10\,\mathrm{L}\ 450\,\mathrm{mL} \\ -\ 3\,\mathrm{L}\ 750\,\mathrm{mL} \\ \hline \end{array}$$

계산을 하시오. (11~18)

11 $2\,\mathrm{L}\ 800\,\mathrm{mL} + 3\,\mathrm{L}\ 200\,\mathrm{mL}$

12 $7\,\mathrm{L}\ 400\,\mathrm{mL} - 2\,\mathrm{L}\ 100\,\mathrm{mL}$

13 $4\,\mathrm{L}\ 500\,\mathrm{mL} + 3\,\mathrm{L}\ 700\,\mathrm{mL}$

14 $9\,\mathrm{L}\ 600\,\mathrm{mL} - 7\,\mathrm{L}\ 800\,\mathrm{mL}$

15 $3\,\mathrm{L}\ 750\,\mathrm{mL} + 3\,\mathrm{L}\ 550\,\mathrm{mL}$

16 $8\,\mathrm{L}\ 450\,\mathrm{mL} - 2\,\mathrm{L}\ 650\,\mathrm{mL}$

17 $9\,\mathrm{L}\ 150\,\mathrm{mL} + 3\,\mathrm{L}\ 800\,\mathrm{mL}$

18 $6\,\mathrm{L}\ 450\,\mathrm{mL} - 3\,\mathrm{L}\ 500\,\mathrm{mL}$

사고력 기르기

Step 1

□ 안에 알맞은 수를 써넣으시오. (01~12)

01

□ L 400 mL
+ 1 L □ mL
3 L 900 mL

02

6 L □ mL
+ □ L 350 mL
8 L 800 mL

03

□ L 450 mL
+ 4 L □ mL
9 L 700 mL

04

2 L □ mL
+ □ L 300 mL
3 L 450 mL

05

□ L 450 mL
+ 3 L □ mL
7 L 500 mL

06

7 L □ mL
+ □ L 600 mL
9 L 850 mL

07

□ L 500 mL
+ 3 L □ mL
9 L 300 mL

08

4 L □ mL
+ □ L 650 mL
7 L 200 mL

09

□ L 750 mL
+ 7 L □ mL
9 L 100 mL

10

3 L □ mL
+ □ L 850 mL
8 L 300 mL

11

□ L 700 mL
+ 3 L □ mL
6 L 150 mL

12

6 L □ mL
+ □ L 450 mL
9 L 200 mL

□ 안에 알맞은 수를 써넣으시오. (13~24)

13

$$\begin{array}{r} \square\ \text{L}\ 800\ \text{mL} \\ -\ 2\ \text{L}\ \square\ \text{mL} \\ \hline 3\ \text{L}\ 300\ \text{mL} \end{array}$$

14

$$\begin{array}{r} 4\ \text{L}\ \square\ \text{mL} \\ -\ \square\ \text{L}\ 100\ \text{mL} \\ \hline 1\ \text{L}\ 150\ \text{mL} \end{array}$$

15

$$\begin{array}{r} \square\ \text{L}\ 300\ \text{mL} \\ -\ 4\ \text{L}\ \square\ \text{mL} \\ \hline 2\ \text{L}\ 150\ \text{mL} \end{array}$$

16

$$\begin{array}{r} 6\ \text{L}\ \square\ \text{mL} \\ -\ \square\ \text{L}\ 500\ \text{mL} \\ \hline 4\ \text{L}\ 200\ \text{mL} \end{array}$$

17

$$\begin{array}{r} \square\ \text{L}\ 650\ \text{mL} \\ -\ 3\ \text{L}\ \square\ \text{mL} \\ \hline 4\ \text{L}\ 200\ \text{mL} \end{array}$$

18

$$\begin{array}{r} 9\ \text{L}\ \square\ \text{mL} \\ -\ \square\ \text{L}\ 150\ \text{mL} \\ \hline 3\ \text{L}\ 100\ \text{mL} \end{array}$$

19

$$\begin{array}{r} \square\ \text{L}\ 500\ \text{mL} \\ -\ 2\ \text{L}\ \square\ \text{mL} \\ \hline 3\ \text{L}\ 700\ \text{mL} \end{array}$$

20

$$\begin{array}{r} 5\ \text{L}\ \square\ \text{mL} \\ -\ \square\ \text{L}\ 800\ \text{mL} \\ \hline 2\ \text{L}\ 900\ \text{mL} \end{array}$$

21

$$\begin{array}{r} \square\ \text{L}\ 700\ \text{mL} \\ -\ 3\ \text{L}\ \square\ \text{mL} \\ \hline 4\ \text{L}\ 800\ \text{mL} \end{array}$$

22

$$\begin{array}{r} 7\ \text{L}\ \square\ \text{mL} \\ -\ \square\ \text{L}\ 300\ \text{mL} \\ \hline 2\ \text{L}\ 850\ \text{mL} \end{array}$$

23

$$\begin{array}{r} \square\ \text{L}\ 450\ \text{mL} \\ -\ 4\ \text{L}\ \square\ \text{mL} \\ \hline 1\ \text{L}\ 700\ \text{mL} \end{array}$$

24

$$\begin{array}{r} 8\ \text{L}\ \square\ \text{mL} \\ -\ \square\ \text{L}\ 700\ \text{mL} \\ \hline 4\ \text{L}\ 950\ \text{mL} \end{array}$$

Step 2

01 주어진 식에서 ■, ★, ●, ▲는 서로 다른 자연수입니다. 조건을 만족하는 여러 가지 식을 만들어 보시오. (단, ■, ★, ●, ▲는 8보다 작은 수입니다.)

■ L ★50 mL + ● L ▲00 mL = 12 L 150 mL

□ L □50 mL + □ L □00 mL = 12 L 150 mL

□ L □50 mL + □ L □00 mL = 12 L 150 mL

□ L □50 mL + □ L □00 mL = 12 L 150 mL

□ L □50 mL + □ L □00 mL = 12 L 150 mL

□ L □50 mL + □ L □00 mL = 12 L 150 mL

□ L □50 mL + □ L □00 mL = 12 L 150 mL

□ L □50 mL + □ L □00 mL = 12 L 150 mL

□ L □50 mL + □ L □00 mL = 12 L 150 mL

02 주어진 식에서 ■, ●, ▲는 서로 다른 자연수입니다. 조건을 만족하는 여러 가지 식을 만들어 보시오. (단, ■는 6보다 작은 수입니다.)

■ L 200 mL − ● L 500 mL = ▲ L 700 mL

□ L 200 mL − □ L 500 mL = □ L 700 mL

□ L 200 mL − □ L 500 mL = □ L 700 mL

□ L 200 mL − □ L 500 mL = □ L 700 mL

□ L 200 mL − □ L 500 mL = □ L 700 mL

주어진 3개의 그릇을 사용하여 물의 양을 재려고 합니다. 물음에 답하시오. (03~04)

1 L 200 mL	2 L 500 mL	3 L 600 mL

03 주어진 3개의 그릇 중 2개를 사용하여 잴 수 있는 양을 모두 구하시오.

□ L □ mL + □ L □ mL = □ L □ mL

□ L □ mL + □ L □ mL = □ L □ mL

□ L □ mL + □ L □ mL = □ L □ mL

□ L □ mL − □ L □ mL = □ L □ mL

□ L □ mL − □ L □ mL = □ L □ mL

□ L □ mL − □ L □ mL = □ L □ mL

04 주어진 3개의 그릇을 모두 사용하여 잴 수 있는 양을 모두 구하시오.

□ L □ mL + □ L □ mL − □ L □ mL = □ mL

□ L □ mL + □ L □ mL − □ L □ mL = □ L □ mL

□ L □ mL + □ L □ mL − □ L □ mL = □ L □ mL

□ L □ mL + □ L □ mL + □ L □ mL = □ L □ mL

실력 점검

□ 안에 알맞은 수를 써넣으시오. (01~02)

01

$$\begin{array}{r} 3\text{ L }600\text{ mL} \\ +\ 2\text{ L }200\text{ mL} \\ \hline \end{array} \Rightarrow \begin{array}{r} 3\text{ L }600\text{ mL} \\ +\ 2\text{ L }200\text{ mL} \\ \hline \square\text{ mL} \end{array} \Rightarrow \begin{array}{r} 3\text{ L }600\text{ mL} \\ +\ 2\text{ L }200\text{ mL} \\ \hline \square\text{ L }\square\text{ mL} \end{array}$$

02

$$\begin{array}{r} 9\text{ L }800\text{ mL} \\ -\ 4\text{ L }300\text{ mL} \\ \hline \end{array} \Rightarrow \begin{array}{r} 9\text{ L }800\text{ mL} \\ -\ 4\text{ L }300\text{ mL} \\ \hline \square\text{ mL} \end{array} \Rightarrow \begin{array}{r} 9\text{ L }800\text{ mL} \\ -\ 4\text{ L }300\text{ mL} \\ \hline \square\text{ L }\square\text{ mL} \end{array}$$

계산을 하시오. (03~12)

03

$$\begin{array}{r} 2\text{ L }800\text{ mL} \\ +\ 3\text{ L }500\text{ mL} \\ \hline \end{array}$$

04

$$\begin{array}{r} 7\text{ L }500\text{ mL} \\ -\ 2\text{ L }700\text{ mL} \\ \hline \end{array}$$

05

$$\begin{array}{r} 4\text{ L }850\text{ mL} \\ +\ 3\text{ L }950\text{ mL} \\ \hline \end{array}$$

06

$$\begin{array}{r} 8\text{ L }300\text{ mL} \\ -\ 2\text{ L }550\text{ mL} \\ \hline \end{array}$$

07 2 L 500 mL+7 L 800 mL

08 7 L 400 mL−2 L 800 mL

09 4 L 850 mL+4 L 250 mL

10 9 L 150 mL−3 L 250 mL

11 7 L 600 mL+2 L 750 mL

12 10 L 400 mL−7 L 900 mL

실력 점검

□ 안에 알맞은 수를 써넣으시오. (13~16)

13

$$\begin{array}{r} \square\ \text{L}\ 500\ \text{mL} \\ +\ 2\ \text{L}\ \square\ \text{mL} \\ \hline 6\ \text{L}\ 200\ \text{mL} \end{array}$$

14

$$\begin{array}{r} 8\ \text{L}\ \square\ \text{mL} \\ +\ \square\ \text{L}\ 450\ \text{mL} \\ \hline 15\ \text{L}\ 350\ \text{mL} \end{array}$$

15

$$\begin{array}{r} \square\ \text{L}\ 300\ \text{mL} \\ -\ 3\ \text{L}\ \square\ \text{mL} \\ \hline 3\ \text{L}\ 500\ \text{mL} \end{array}$$

16

$$\begin{array}{r} 9\ \text{L}\ \square\ \text{mL} \\ -\ \square\ \text{L}\ 750\ \text{mL} \\ \hline 5\ \text{L}\ 500\ \text{mL} \end{array}$$

17 주어진 식에서 ■와 ▲는 서로 다른 자연수입니다. 조건을 만족하는 여러 가지 식을 만들어 보시오. (단, ■와 ▲는 한 자리 수입니다.)

> ■ L 350 mL − ▲ L 700 mL = ▲ L 650 mL

□ L 350 mL − □ L 700 mL = □ L 650 mL

□ L 350 mL − □ L 700 mL = □ L 650 mL

□ L 350 mL − □ L 700 mL = □ L 650 mL

□ L 350 mL − □ L 700 mL = □ L 650 mL

14 무게의 합과 차 알아보기

개념

1. 무게의 합

$$\begin{array}{r} 2\,\text{kg}\ 600\,\text{g} \\ +\ 1\,\text{kg}\ 200\,\text{g} \\ \hline \end{array} \Rightarrow \begin{array}{r} 2\,\text{kg}\ 600\,\text{g} \\ +\ 1\,\text{kg}\ 200\,\text{g} \\ \hline 800\,\text{g} \end{array} \Rightarrow \begin{array}{r} 2\,\text{kg}\ 600\,\text{g} \\ +\ 1\,\text{kg}\ 200\,\text{g} \\ \hline 3\,\text{kg}\ 800\,\text{g} \end{array}$$

무게의 합은 g은 g끼리, kg은 kg끼리 더합니다.

2. 무게의 차

$$\begin{array}{r} 4\,\text{kg}\ 800\,\text{g} \\ -\ 2\,\text{kg}\ 500\,\text{g} \\ \hline \end{array} \Rightarrow \begin{array}{r} 4\,\text{kg}\ 800\,\text{g} \\ -\ 2\,\text{kg}\ 500\,\text{g} \\ \hline 300\,\text{g} \end{array} \Rightarrow \begin{array}{r} 4\,\text{kg}\ 800\,\text{g} \\ -\ 2\,\text{kg}\ 500\,\text{g} \\ \hline 2\,\text{kg}\ 300\,\text{g} \end{array}$$

무게의 차는 g은 g끼리, kg은 kg끼리 뺍니다.

□ 안에 알맞은 수를 써넣으시오. (01~04)

01

$$\begin{array}{r} 3\ \text{kg}\ 250\ \text{g} \\ +\ 2\ \text{kg}\ 400\ \text{g} \\ \hline \end{array} \Rightarrow \begin{array}{r} 3\ \text{kg}\ 250\ \text{g} \\ +\ 2\ \text{kg}\ 400\ \text{g} \\ \hline \square\ \text{g} \end{array} \Rightarrow \begin{array}{r} 3\ \text{kg}\ 250\ \text{g} \\ +\ 2\ \text{kg}\ 400\ \text{g} \\ \hline \square\ \text{kg}\ \square\ \text{g} \end{array}$$

02

$$\begin{array}{r} 7\ \text{kg}\ 800\ \text{g} \\ -\ 3\ \text{kg}\ 350\ \text{g} \\ \hline \end{array} \Rightarrow \begin{array}{r} 7\ \text{kg}\ 800\ \text{g} \\ -\ 3\ \text{kg}\ 350\ \text{g} \\ \hline \square\ \text{g} \end{array} \Rightarrow \begin{array}{r} 7\ \text{kg}\ 800\ \text{g} \\ -\ 3\ \text{kg}\ 350\ \text{g} \\ \hline \square\ \text{kg}\ \square\ \text{g} \end{array}$$

03 $4\,\text{kg}\ 650\,\text{kg} + 2\,\text{kg}\ 150\,\text{g} = \square\ \text{kg}\ \square\ \text{g}$

04 $8\,\text{kg}\ 500\,\text{g} - 3\,\text{kg}\ 350\,\text{g} = \square\ \text{kg}\ \square\ \text{g}$

계산을 하시오. (05~10)

05
$$\begin{array}{r} 4\,\mathrm{kg}\ 600\,\mathrm{g} \\ +\ 2\,\mathrm{kg}\ 300\,\mathrm{g} \\ \hline \end{array}$$

06
$$\begin{array}{r} 7\,\mathrm{kg}\ 600\,\mathrm{g} \\ -\ 5\,\mathrm{kg}\ 400\,\mathrm{g} \\ \hline \end{array}$$

07
$$\begin{array}{r} 3\,\mathrm{kg}\ 800\,\mathrm{g} \\ +\ 5\,\mathrm{kg}\ 750\,\mathrm{g} \\ \hline \end{array}$$

08
$$\begin{array}{r} 6\,\mathrm{kg}\ 150\,\mathrm{g} \\ -\ 2\,\mathrm{kg}\ 300\,\mathrm{g} \\ \hline \end{array}$$

09
$$\begin{array}{r} 4\,\mathrm{kg}\ 850\,\mathrm{g} \\ +\ 5\,\mathrm{kg}\ 650\,\mathrm{g} \\ \hline \end{array}$$

10
$$\begin{array}{r} 12\,\mathrm{kg}\ 750\,\mathrm{g} \\ -\ 7\,\mathrm{kg}\ 800\,\mathrm{g} \\ \hline \end{array}$$

계산을 하시오. (11~18)

11 $2\,\mathrm{kg}\ 100\,\mathrm{g}+3\,\mathrm{kg}\ 550\,\mathrm{g}$

12 $4\,\mathrm{kg}\ 650\,\mathrm{g}-2\,\mathrm{kg}\ 450\,\mathrm{g}$

13 $3\,\mathrm{kg}\ 500\,\mathrm{g}+4\,\mathrm{kg}\ 700\,\mathrm{g}$

14 $6\,\mathrm{kg}\ 600\,\mathrm{g}-2\,\mathrm{kg}\ 750\,\mathrm{g}$

15 $8\,\mathrm{kg}\ 700\,\mathrm{g}+3\,\mathrm{kg}\ 900\,\mathrm{g}$

16 $9\,\mathrm{kg}\ 400\,\mathrm{g}-6\,\mathrm{kg}\ 950\,\mathrm{g}$

17 $11\,\mathrm{kg}\ 250\,\mathrm{g}+7\,\mathrm{kg}\ 800\,\mathrm{g}$

18 $14\,\mathrm{kg}\ 700\,\mathrm{g}-9\,\mathrm{kg}\ 850\,\mathrm{g}$

사고력 기르기

Step 1

□ 안에 알맞은 수를 써넣으시오. (01~12)

01

$$\begin{array}{r} \square \text{ kg } 300 \text{ g} \\ +\ 3 \text{ kg } \square \text{ g} \\ \hline 4 \text{ kg } 500 \text{ g} \end{array}$$

02

$$\begin{array}{r} 2 \text{ kg } \square \text{ g} \\ +\ \square \text{ kg } 200 \text{ g} \\ \hline 5 \text{ kg } 700 \text{ g} \end{array}$$

03

$$\begin{array}{r} \square \text{ kg } 250 \text{ g} \\ +\ 4 \text{ kg } \square \text{ g} \\ \hline 8 \text{ kg } 550 \text{ g} \end{array}$$

04

$$\begin{array}{r} 6 \text{ kg } \square \text{ g} \\ +\ \square \text{ kg } 250 \text{ g} \\ \hline 8 \text{ kg } 500 \text{ g} \end{array}$$

05

$$\begin{array}{r} \square \text{ kg } 300 \text{ g} \\ +\ 3 \text{ kg } \square \text{ g} \\ \hline 5 \text{ kg } 750 \text{ g} \end{array}$$

06

$$\begin{array}{r} 3 \text{ kg } \square \text{ g} \\ +\ \square \text{ kg } 100 \text{ g} \\ \hline 9 \text{ kg } 850 \text{ g} \end{array}$$

07

$$\begin{array}{r} \square \text{ kg } 750 \text{ g} \\ +\ 2 \text{ kg } \square \text{ g} \\ \hline 6 \text{ kg } 200 \text{ g} \end{array}$$

08

$$\begin{array}{r} 6 \text{ kg } \square \text{ g} \\ +\ \square \text{ kg } 800 \text{ g} \\ \hline 9 \text{ kg } 50 \text{ g} \end{array}$$

09

$$\begin{array}{r} \square \text{ kg } 150 \text{ g} \\ +\ 3 \text{ kg } \square \text{ g} \\ \hline 8 \text{ kg } 100 \text{ g} \end{array}$$

10

$$\begin{array}{r} 2 \text{ kg } \square \text{ g} \\ +\ \square \text{ kg } 600 \text{ g} \\ \hline 6 \text{ kg } 100 \text{ g} \end{array}$$

11

$$\begin{array}{r} \square \text{ kg } 800 \text{ g} \\ +\ 2 \text{ kg } \square \text{ g} \\ \hline 9 \text{ kg } 150 \text{ g} \end{array}$$

12

$$\begin{array}{r} 4 \text{ kg } \square \text{ g} \\ +\ \square \text{ kg } 650 \text{ g} \\ \hline 9 \text{ kg } 300 \text{ g} \end{array}$$

□ 안에 알맞은 수를 써넣으시오. (13~24)

13

□ kg 500 g
− 2 kg □ g
3 kg 200 g

14

4 kg □ g
− □ kg 350 g
2 kg 350 g

15

□ kg 250 g
− 3 kg □ g
2 kg 100 g

16

6 kg □ g
− □ kg 700 g
3 kg 150 g

17

□ kg 400 g
− 4 kg □ g
4 kg 300 g

18

9 kg □ g
− □ kg 250 g
4 kg 600 g

19

□ kg 600 g
− 4 kg □ g
4 kg 800 g

20

7 kg □ g
− □ kg 700 g
2 kg 800 g

21

□ kg 450 g
− 3 kg □ g
4 kg 500 g

22

9 kg □ g
− □ kg 150 g
7 kg 950 g

23

□ kg 800 g
− 4 kg □ g
1 kg 900 g

24

7 kg □ g
− □ kg 650 g
5 kg 750 g

Step 2

01 주어진 식에서 ■, ▲, ●는 서로 다른 한 자리 수의 홀수입니다. 조건을 만족하는 여러 가지 식을 만들어 보시오. (단, ■<▲<●입니다.)

■ kg 600 g + ▲ kg 900 g = ● kg 500 g

□ kg 600 g + □ kg 900 g = □ kg 500 g

□ kg 600 g + □ kg 900 g = □ kg 500 g

□ kg 600 g + □ kg 900 g = □ kg 500 g

□ kg 600 g + □ kg 900 g = □ kg 500 g

02 주어진 식에서 ■, ▲, ●는 서로 다른 한 자리 수의 자연수입니다. 조건을 만족하는 여러 가지 식을 만들어 보시오. (단, ■>▲>●이고 ●는 짝수입니다.)

■ kg 450 g − ▲ kg 800 g = ● kg 650 g

□ kg 450 g − □ kg 800 g = □ kg 650 g

□ kg 450 g − □ kg 800 g = □ kg 650 g

□ kg 450 g − □ kg 800 g = □ kg 650 g

□ kg 450 g − □ kg 800 g = □ kg 650 g

양팔 저울과 3개의 추를 사용하여 무게를 재려고 합니다. 물음에 답하시오. (03~04)

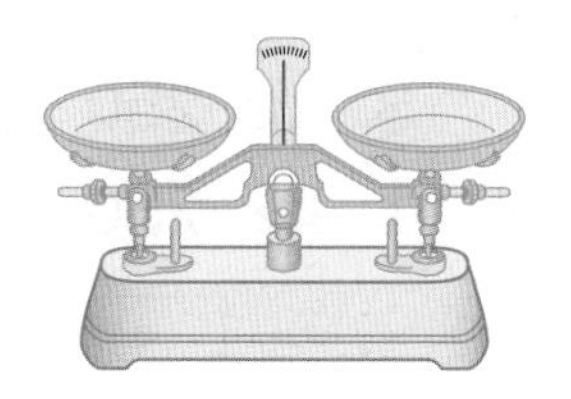

100 g　120 g　200 g

03 주어진 **3**개의 추 중 **2**개를 사용하여 잴 수 있는 무게를 모두 구하시오.

□ g + □ g = □ g　　□ g − □ g = □ g

□ g + □ g = □ g　　□ g − □ g = □ g

□ g + □ g = □ g　　□ g − □ g = □ g

04 주어진 **3**개의 추를 모두 사용하여 잴 수 있는 무게를 모두 구하시오.

□ g + □ g − □ g = □ g

□ g + □ g − □ g = □ g

□ g + □ g − □ g = □ g

□ g + □ g + □ g = □ g

실력 점검

□ 안에 알맞은 수를 써넣으시오. (01~02)

01

$$\begin{array}{r} 3\text{ kg } 250\text{ g} \\ +\ 1\text{ kg } 250\text{ g} \\ \hline \end{array} \Rightarrow \begin{array}{r} 3\text{ kg } 250\text{ g} \\ +\ 1\text{ kg } 250\text{ g} \\ \hline \square\text{ g} \end{array} \Rightarrow \begin{array}{r} 3\text{ kg } 250\text{ g} \\ +\ 1\text{ kg } 250\text{ g} \\ \hline \square\text{ kg } \square\text{ g} \end{array}$$

02

$$\begin{array}{r} 6\text{ kg } 500\text{ g} \\ -\ 2\text{ kg } 350\text{ g} \\ \hline \end{array} \Rightarrow \begin{array}{r} 6\text{ kg } 500\text{ g} \\ -\ 2\text{ kg } 350\text{ g} \\ \hline \square\text{ g} \end{array} \Rightarrow \begin{array}{r} 6\text{ kg } 500\text{ g} \\ -\ 2\text{ kg } 350\text{ g} \\ \hline \square\text{ kg } \square\text{ g} \end{array}$$

계산을 하시오. (03~12)

03

$$\begin{array}{r} 5\text{kg } 650\text{g} \\ +\ 2\text{kg } 450\text{g} \\ \hline \end{array}$$

04

$$\begin{array}{r} 8\text{kg } 500\text{g} \\ -\ 2\text{kg } 800\text{g} \\ \hline \end{array}$$

05

$$\begin{array}{r} 4\text{kg } 950\text{g} \\ +\ 3\text{kg } 350\text{g} \\ \hline \end{array}$$

06

$$\begin{array}{r} 9\text{kg } 250\text{g} \\ -\ 3\text{kg } 450\text{g} \\ \hline \end{array}$$

07 1 kg 600 g + 2 kg 750 g

08 6 kg 100 g − 2 kg 250 g

09 4 kg 850 g + 3 kg 450 g

10 8 kg 400 g − 3 kg 600 g

11 8 kg 150 g + 2 kg 900 g

12 15 kg 700 g − 6 kg 850 g

실력 점검

□ 안에 알맞은 수를 써넣으시오. (13~16)

13

$$\begin{array}{r} \square \text{ kg } 650 \text{ g} \\ +\ 3 \text{ kg } \square \text{ g} \\ \hline 8 \text{ kg } 100 \text{ g} \end{array}$$

14

$$\begin{array}{r} 6 \text{ kg } \square \text{ g} \\ +\ \square \text{ kg } 550 \text{ g} \\ \hline 9 \text{ kg } 250 \text{ g} \end{array}$$

15

$$\begin{array}{r} \square \text{ kg } 700 \text{ g} \\ -\ 4 \text{ kg } \square \text{ g} \\ \hline 2 \text{ kg } 900 \text{ g} \end{array}$$

16

$$\begin{array}{r} 9 \text{ kg } \square \text{ g} \\ -\ \square \text{ kg } 450 \text{ g} \\ \hline 3 \text{ kg } 850 \text{ g} \end{array}$$

17 주어진 식에서 ■, ▲, ●는 서로 다른 한 자리 수의 홀수입니다. 조건을 만족하는 여러 가지 식을 만들어 보시오. (단, ■<▲<● 입니다.)

■ kg 500 g + ▲ kg 750 g = ● kg 250 g

□ kg 500 g + □ kg 750 g = □ kg 250 g

□ kg 500 g + □ kg 750 g = □ kg 250 g

□ kg 500 g + □ kg 750 g = □ kg 250 g

□ kg 500 g + □ kg 750 g = □ kg 250 g

Memo

정답 및
해설
3학년
하권

개념 01 올림이 없는 (세 자리 수)×(한 자리 수)의 계산 | 4쪽

01 3, 3, 3, 300, 30, 6, 336
02 2, 2, 2, 400, 20, 6, 426
03 8, 40, 200, 248
04 6, 30, 900, 936
05 200, 60, 8, 268
06 600, 60, 3, 663
07 228　08 624
09 846　10 486
11 369　12 488
13 288　14 996
15 693　16 848
17 884　18 693

사고력 기르기 Step 1 | 6쪽

01 2, 3, 9　02 3, 6, 6
03 2, 9, 3　04 3, 3, 6
05 2, 4, 4　06 3, 2, 4
07 2, 4, 8　08 2, 3, 6
09 3, 3, 6　10 3, 9
11 3, 2
12 0, 2, 4, 6, 0 / 0, 3, 6, 9, 0 / 1, 2, 4, 6, 2 / 1, 3, 6, 9, 3 / 2, 2, 4, 6, 4 / 2, 3, 6, 9, 6 / 3, 2, 4, 6, 6 / 3, 3, 6, 9, 9 / 4, 2, 4, 6, 8
13 0, 2, 6, 0, 6 / 0, 3, 9, 0, 9 / 1, 2, 6, 2, 6 / 1, 3, 9, 3, 9 / 2, 2, 6, 4, 6 / 2, 3, 9, 6, 9 / 3, 2, 6, 6, 6 / 3, 3, 9, 9, 9 / 4, 2, 6, 8, 6

사고력 기르기 Step 2 | 8쪽

01 1, 2, 3　02 3, 2, 6
03 3, 2, 9　04 3, 5, 1
05 3, 2, 6
06 2, 2, 2, 3, 6, 6, 6 / 2, 2, 2, 4, 8, 8, 8 / 3, 3, 3, 2, 6, 6, 6 / 4, 4, 4, 2, 8, 8, 8
07 2, 3, 4, 2, 468 / 2, 4, 3, 2, 486 / 3, 2, 4, 2, 648 / 3, 4, 2, 2, 684 / 4, 2, 3, 2, 846 / 4, 3, 2, 2, 864

실력 점검 | 10쪽

01 6, 30, 600, 636　02 6, 80, 200, 286
03 400, 80, 8, 488　04 900, 60, 9, 969
05 446　06 609
07 282　08 963
09 846　10 369
11 486　12 3, 3, 6
13 3, 6, 6　14 1, 3, 9
15 2, 4　16 3, 2
17 2, 1, 3　18 1, 3, 2

개념 02 올림이 1번 있는 (세 자리 수)×(한 자리 수)의 계산 | 12쪽

01 3, 3, 3, 600, 30, 18, 648
02 4, 4, 4, 2000, 40, 8, 2048
03 16, 80, 200, 296
04 9, 210, 600, 819
05 800, 80, 16, 896
06 200, 120, 4, 324
07 651　08 528
09 1248　10 650
11 576　12 1269
13 948　14 872
15 344　16 905
17 1248　18 1539

사고력 기르기 Step 1 | 14쪽

01 4, 4　02 7, 6
03 5, 6, 7　04 3, 7, 5

05 4, 5, 6
06 3, 7, 8
07 2, 1, 0
08 4, 2, 8
09 3, 1, 8
10 981
11 954
12 7, 2, 6, 5 / 8, 3, 9, 8
13 4, 3, 7, 2 / 5, 3, 7, 5 / 6, 3, 7, 8 / 7, 3, 8, 1 / 8, 3, 8, 4 / 9, 3, 8, 7
14 5, 2, 1, 0, 6 / 6, 2, 1, 2, 6 / 7, 2, 1, 4, 6 / 8, 2, 1, 6, 6 / 9, 2, 1, 8, 6

사고력 기르기

Step 2 | 16쪽

01 2, 5, 2, 2, 5, 0, 4 / 2, 6, 2, 2, 5, 2, 4 / 2, 7, 2, 2, 5, 4, 4 / 2, 8, 2, 2, 5, 6, 4 / 2, 9, 2, 2, 5, 8, 4
02 3, 1, 7
03 2, 4, 9
04 5, 2, 1
05 2, 5, 0
06 풀이 참조
07 풀이 참조
08 풀이 참조
09 풀이 참조

06

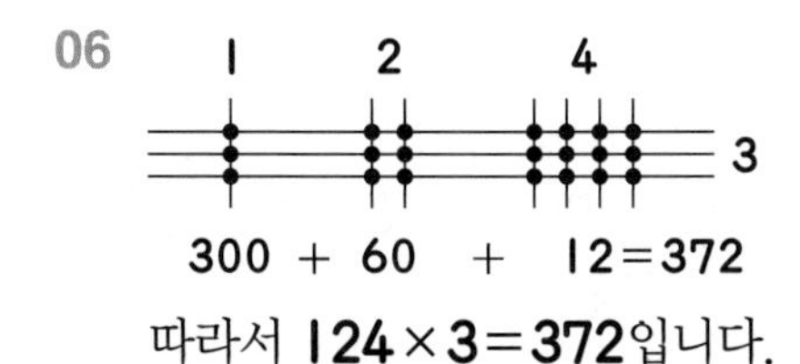

따라서 124×3=372입니다.

07

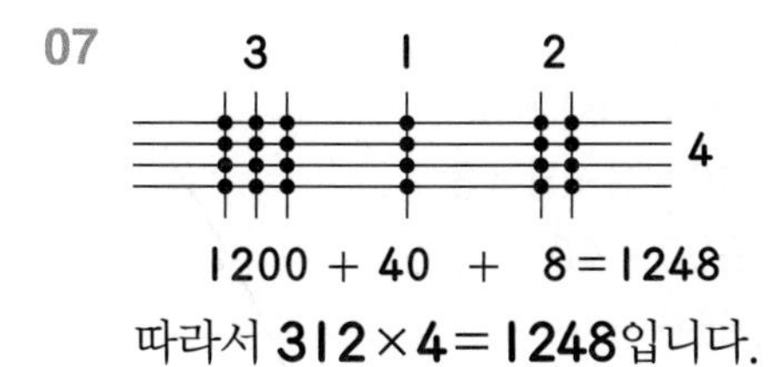

따라서 312×4=1248입니다.

08

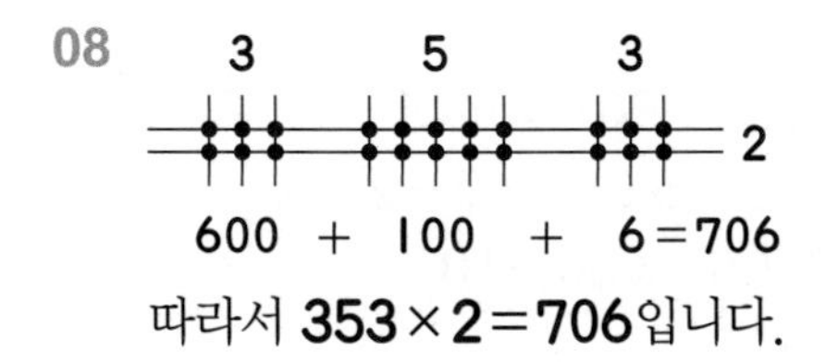

따라서 353×2=706입니다.

09

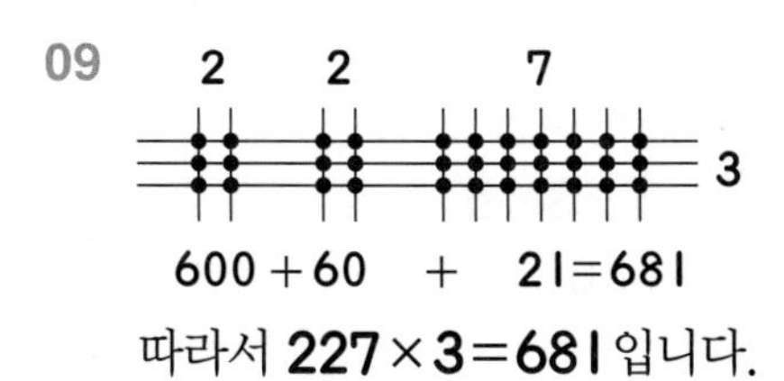

따라서 227×3=681입니다.

실력 점검

| 18쪽

01 21, 30, 600, 651
02 4, 160, 800, 964
03 300, 60, 24, 384
04 1000, 20, 6, 1026
05 492
06 843
07 1848
08 296
09 1863
10 813
11 434
12 4, 3
13 4, 6, 4
14 2, 1, 0
15 692
16 876
17 2, 5, 3
18 1, 6, 9

개념 03 올림이 2번 이상 있는 (세 자리 수)×(한 자리 수)의 계산

| 20쪽

01 3, 3, 3, 300, 150, 24, 474
02 2, 2, 2, 1000, 40, 14, 1054
03 15, 180, 600, 795
04 10, 40, 1200, 1250
05 1500, 50, 35, 1585
06 900, 240, 18, 1158
07 1008
08 1156
09 1370
10 2528
11 1581
12 2656
13 5512
14 4344
15 1782
16 1785
17 2592
18 3708

사고력 기르기

Step 1 | 22쪽

01 4, 1, 2
02 6, 1, 2
03 7, 2, 5
04 5, 2, 2
05 7, 2, 0
06 2, 2, 9
07 4, 1, 5
08 5, 3, 2
09 8, 1, 8
10 978
11 3780
12 2168

13 1617　　14 풀이 참조
15 풀이 참조

10 ☆=1, △=6, ♡=3이므로
$163\times6=978$입니다.

11 ♡=7, ☆=5, △=6이므로
$756\times5=3780$입니다.

12 ☆=5, ♡=4, △=2이므로
$542\times4=2168$입니다.

13 ☆=5, △=3, ♡=9이므로
$539\times3=1617$입니다.

14 방법 1

$$\begin{aligned}392\times6&=(300+90+2)\times6\\&=300\times6+90\times6+2\times6\\&=1800+540+12\\&=2352\end{aligned}$$

방법 2

$$\begin{aligned}392\times6&=(400-8)\times6\\&=400\times6-8\times6\\&=2400-48\\&=2352\end{aligned}$$

15 방법 1

$$\begin{aligned}487\times4&=(400+80+7)\times4\\&=400\times4+80\times4+7\times4\\&=1600+320+28\\&=1948\end{aligned}$$

방법 2

$$\begin{aligned}487\times4&=(500-13)\times4\\&=500\times4-13\times4\\&=2000-52\\&=1948\end{aligned}$$

사고력 기르기

Step 2 | 24쪽

01 3, 1, 0, 7, 9, 0 / 3, 2, 0, 8, 8, 0 / 3, 2, 1, 8, 8, 9
02 6, 3, 0, 1, 0 / 6, 3, 1, 1, 7 / 6, 3, 2, 2, 4 / 6, 4, 0, 8, 0 / 6, 4, 1, 8, 7 / 6, 4, 2, 9, 4
03 2, 4, 8, 7　　04 4, 5, 2, 6
05 1, 9, 9, 9, 1, 9　　06 3, 9, 9, 9, 3, 9
07 5, 9, 9, 9, 5, 9　　08 8, 9, 9, 9, 8, 9
09 8, 5, 3, 9, 6, 4, 2, 7, 12171
(또는 $642\times7+853\times9=12171$)
10 4, 6, 8, 1, 3, 5, 7, 2, 1182
(또는 $357\times2+468\times1=1182$)

실력 점검

26쪽

01 21, 120, 600, 741
02 40, 200, 2500, 2740
03 800, 240, 56, 1096
04 1400, 350, 21, 1771
05 4904　　06 3904
07 1692　　08 2904
09 1752　　10 4284
11 3114　　12 5, 7, 3
13 3, 1, 3　　14 4, 5, 2
15 풀이 참조　　16 풀이 참조

15 방법 1

$$\begin{aligned}695\times8&=(600+90+5)\times8\\&=600\times8+90\times8+5\times8\\&=4800+720+40\\&=5560\end{aligned}$$

방법 2

$$\begin{aligned}695\times8&=(700-5)\times8\\&=700\times8-5\times8\\&=5600-40\\&=5560\end{aligned}$$

16 방법 1

$$\begin{aligned}792\times5&=(700+90+2)\times5\\&=700\times5+90\times5+2\times5\\&=3500+450+10\\&=3960\end{aligned}$$

방법 2

$$\begin{aligned}792\times5&=(800-8)\times5\\&=800\times5-8\times5\\&=4000-40\\&=3960\end{aligned}$$

개념 04 (몇십)×(몇십), (몇십몇)×(몇십)의 계산 | 28쪽

01 12, 1200　02 48, 480
03 20, 2000　04 135, 1350
05 42, 4200　06 136, 1360
07 24　08 18
09 36　10 171
11 1400　12 3600
13 3500　14 1260
15 1280　16 2150
17 2500　18 1410
19 5600　20 2080
21 5400　22 4410

사고력 기르기 Step 1 | 30쪽

01 2, 9 / 3, 6 / 6, 3 / 9, 2
02 3, 8 / 4, 6 / 6, 4 / 8, 3
03 7, 5, 2 / 5, 0, 3 / 3, 0, 5 / 2, 5, 6
04 9, 0, 4 / 7, 2, 5 / 6, 0, 6 / 4, 5, 8 / 4, 0, 9
05 3, 5, 1500 / 3, 7, 2100 / 3, 9, 2700 / 5, 7, 3500 / 5, 9, 4500 / 7, 9, 6300
가장 큰 곱 ➡ 6300, 가장 작은 곱 ➡ 1500
06 2, 4, 6, 1440 / 4, 2, 6, 2520 / 2, 6, 4, 1040 / 6, 2, 4, 2480 / 4, 6, 2, 920 / 6, 4, 2, 1280
가장 큰 곱 ➡ 2520, 가장 작은 곱 ➡ 920

사고력 기르기 Step 2 | 32쪽

01 9, 8, 7200 / 9, 7, 6300 / 9, 6, 5400 / 9, 5, 4500 / 8, 7, 5600 / 8, 6, 4800 / 8, 5, 4000 / 7, 6, 4200
02 2, 3, 600 / 2, 4, 800 / 2, 5, 1000 / 2, 6, 1200 / 2, 7, 1400 / 2, 8, 1600 / 3, 4, 1200 / 3, 5, 1500
03 9, 8, 7, 6860 / 9, 8, 6, 5880 / 9, 7, 6, 5820 / 8, 7, 6, 5220 / 9, 8, 5, 4900 / 9, 7, 5, 4850 / 9, 6, 5, 4800 / 8, 7, 5, 4350
04 1, 2, 3, 360 / 1, 2, 4, 480 / 1, 3, 4, 520 / 1, 2, 5, 600 / 1, 3, 5, 650 / 1, 4, 5, 700 / 1, 2, 6, 720 / 1, 3, 6, 780

실력 점검 | 34쪽

01 24, 2400　02 124, 1240
03 25　04 48
05 1200　06 3600
07 5600　08 560
09 1350　10 2040
11 3600　12 840
13 2800　14 2430
15 8100　16 1680
17 2, 6 / 3, 4 / 4, 3 / 6, 2
18 5, 0, 4 / 4, 0, 5 / 2, 5, 8
19 2, 4, 800 / 2, 5, 1000 / 2, 6, 1200 / 2, 7, 1400 / 3, 4, 1200 / 3, 5, 1500

개념 05 (몇십몇)×(몇십몇)의 계산 | 36쪽

01 210, 420, 630 / 5, 10
02 282, 940, 1222 / 6, 20
03 30, 88, 660, 748
04 20, 215, 860, 1075
05 4, 268, 2010, 2278
06 144, 480, 624
07 215, 1290, 1505
08 405　09 512
10 828　11 1536
12 1312　13 1400
14 1216　15 1197
16 1242　17 888
18 4982　19 1980

사고력 기르기 Step 1 | 38쪽

01 2, 7, 1, 1, 1, 1, 3, 1, 1
02 3, 7, 2, 1, 5, 1, 8, 3, 3
03 5, 3, 1, 3, 2, 3, 4, 0, 2
04 5, 3, 3, 8, 1, 2, 0, 3, 5
05 9, 4, 2, 1, 9, 2, 2, 5, 4
06 4, 5, 2, 7, 1, 7, 1, 9, 7, 2
07 7, 5, 9, 225, 6750, 6975 / 9, 5, 7, 285, 6650, 6935 / 5, 7, 9, 171, 5130, 5301 / 9, 7, 5, 291, 4850, 5141 / 5, 9, 7, 177, 4130, 4307 / 7, 9, 5, 237, 3950, 4187
08 6, 8, 4, 260, 5200, 5460 / 8, 6, 4, 340, 5100, 5440 / 6, 8, 2, 130, 5200, 5330 / 8, 6, 2, 170, 5100, 5270 / 8, 4, 6, 510, 3400, 3910 / 4, 8, 6, 270, 3600, 3870 / 4, 8, 2, 90, 3600, 3690 / 8, 4, 2, 170, 3400, 3570 / 6, 4, 8, 520, 2600, 3120 / 4, 6, 8, 360, 2700, 3060 / 4, 6, 2, 90, 2700, 2790 / 6, 4, 2, 130, 2600, 2730 / 8, 2, 6, 510, 1700, 2210 / 2, 8, 6, 150, 2000, 2150 / 2, 8, 4, 100, 2000, 2100 / 8, 2, 4, 340, 1700, 2040

사고력 기르기 Step 2 | 40쪽

01 7, 5, 9, 3, 6975 / 9, 5, 7, 3, 6935 / 7, 5, 9, 1, 6825 / 3, 7, 1, 5, 555 / 3, 9, 1, 5, 585 / 3, 5, 1, 7, 595
02 6, 4, 8, 2, 5248 / 6, 2, 8, 4, 5208 / 6, 4, 8, 0, 5120 / 4, 6, 2, 0, 920 / 4, 8, 2, 0, 960 / 4, 0, 2, 6, 1040
03 7, 8, 9, 6, 7488 / 5, 6, 1, 7, 952 / 7488, 952, 6536
04 7, 3, 9, 6, 7008 / 6, 4, 1, 2, 768
05 9, 2, 8, 1, 7452 / 2, 8, 1, 3, 364

실력 점검 | 42쪽

01 160, 320, 480
02 135, 540, 675
03 344, 430, 774
04 168, 1120, 1288
05 456
06 2052
07 1200
08 1312
09 1334
10 1476
11 4958
12 2, 2, 5, 7, 8, 2
13 7, 3, 2, 8, 1, 4, 1, 6, 9, 2
14 5, 2, 4, 3, 2236 / 5, 3, 4, 2, 2226 / 5, 1, 4, 3, 2193
15 3, 5, 4, 6, 1610 / 3, 6, 4, 5, 1620 / 3, 5, 4, 7, 1645

개념 06 (몇십)÷(몇)의 계산 | 44쪽

01 2, 20
02 2, 20
03 3, 30
04 3, 30
05 5, 40, 20 / 10, 5
06 4, 50, 20 / 10, 4
07 10, 2, 10, 20
08 20, 4, 20, 80
09 25, 2, 25, 50
10 15, 6, 15, 90
11 10
12 12
13 20
14 45
15 10
16 16
17 30
18 15
19 10
20 18
21 35
22 45

사고력 기르기 Step 1 | 46쪽

01 2, 10 / 4, 5 / 5, 4
02 2, 15 / 3, 10 / 5, 6 / 6, 5
03 2, 20 / 4, 10 / 5, 8 / 8, 5
04 2, 30 / 3, 20 / 4, 15 / 5, 12 / 6, 10
05 2, 35 / 5, 14 / 7, 10
06 2, 40 / 4, 20 / 5, 16 / 8, 10

07 2, 45 / 3, 30 / 5, 18 / 6, 15 / 9, 10
08 1, 5, 2 / 2, 5, 4 / 3, 6, 5 / 4, 8, 5
09 2, 5 / 2, 10 / 4, 5 / 2, 15 / 3, 10 / 5, 6 / 2, 20 / 4, 10 / 5, 8 / 2, 25 / 5, 10 / 2, 30 / 3, 20 / 4, 15 / 5, 12 / 6, 10 / 2, 35 / 5, 14 / 7, 10 / 2, 40 / 4, 20 / 5, 16 / 8, 10 / 2, 45 / 3, 30 / 5, 18 / 6, 15 / 9, 10

사고력 기르기 Step 2 | 48쪽

01 30, 30, 30
02 40, 40, 40, 5
03 30, 30, 6, 30, 6
04 20, 20, 20
05 30, 30, 30, 6
06 80, 80, 8, 80, 8
07 60, 60, 60
08 20, 20, 20, 5
09 30, 30, 6, 30, 6
10 90, 90, 90
11 80, 80, 80, 2
12 60, 60, 4, 60, 4

실력 점검 | 50쪽

01 4, 40
02 3, 30
03 30, 3, 30, 90
04 15, 4, 15, 60
05 5, 40, 10 / 20, 5
06 2, 50, 10 / 10, 2
07 10
08 20
09 15
10 14
11 20
12 18
13 35
14 16
15 10, 2, 5 / 20, 4, 5 / 30, 5, 6 / 40, 5, 8
16 50, 50, 50
17 60, 60, 60
18 40, 40, 40
19 70, 70, 70

개념 07 (몇십몇)÷(몇)의 계산 | 52쪽

01 1, 2
02 1, 3
03 1, 2
04 3, 4
05 1, 3, 40, 12 / 10, 3
06 1, 8, 30, 24 / 10, 8
07 4, 2
08 8, 3
09 16
10 19
11 13
12 16
13 15, 2
14 12, 4
15 17, 1
16 19, 3
17 31
18 12
19 12
20 14
21 13…1
22 15…2
23 13…3
24 12…5

사고력 기르기 Step 1 | 54쪽

01 9, 3, 27 / 3, 9, 27
02 8, 2, 16 / 4, 4, 16 / 2, 8, 16
03 4, 2, 2, 8, 4, 4 / 2, 8, 3, 6, 2, 4, 2, 4 / 2, 1, 4, 8, 4, 4 / 1, 4, 6, 6, 2, 4, 2, 4 / 1, 2, 7, 7, 1, 4, 1, 4
04 3, 28 / 4, 21 / 6, 14 / 7, 12
05 3, 20 / 4, 15 / 5, 12 / 6, 10
06 2, 28 / 4, 14 / 7, 8 / 8, 7
07 4, 18 / 6, 12 / 8, 9 / 9, 8
08 3, 30 / 5, 18 / 6, 15 / 9, 10
09 2, 48 / 3, 32 / 4, 24 / 6, 16 / 8, 12

사고력 기르기 Step 2 | 56쪽

01 7
02 8
03 9
04 6
05 5
06 7
07 4, 6, 8, 9
08 3, 4, 6, 9
09 5, 9
10 3, 6
11 99, 98, 95
12 99, 95, 94
13 96, 95, 93
14 97, 96, 94

01 76÷☆=□…6에서 ☆은 6보다 큰 수입니다.

07 나누는 수 ♡는 나머지보다 큰 수입니다.

11 나머지가 3이므로 ◆는 3보다 큰 수입니다.
☆=◆×▲+3
99=4×24+3 (○) 98=5×19+3 (○)
97=2×47+3 (×) 96=3×31+3 (×)
95=4×23+3 (○)

12 99=5×19+4 (○) 98=2×47+4 (×)
97=3×31+4 (×) 96=4×23+4 (×)
95=7×13+4 (○) 94=5×18+4 (○)

13 96=7×13+5 (○) 95=6×15+5 (○)
93=8×11+5 (○)

14 97=7×13+6 (○) 96=9×10+6 (○)
94=8×11+6 (○)

실력 점검 | 58쪽

01 1, 2, 60, 12 / 10, 2
02 2, 7, 60, 21 / 20, 7
03 4, 2
04 8, 3
05 18
06 13
07 31, 1
08 17, 3
09 41
10 28
11 22…2
12 14…1
13 3, 6, 2, 6, 1, 2, 1, 2 / 2, 4, 3, 6, 1, 2, 1, 2 / 1, 8, 4, 4, 3, 2, 3, 2 / 1, 2, 6, 6, 1, 2, 1, 2
14 3, 16 / 4, 12 / 6, 8 / 8, 6
15 4, 5, 6

개념 08 (세 자리 수)÷(한 자리 수)의 계산 | 60쪽

01 4, 400
02 13, 130
03 96, 18, 12, 12 / 90, 6
04 49, 20, 45, 45 / 40, 9
05 1, 4, 5, 5, 2, 0, 2, 5, 3
06 2, 1, 7, 6, 3, 2, 1, 1
07 190 / 190, 570
08 140 / 140, 560
09 75 / 75, 375
10 93 / 3 / 93, 372, 372, 3, 375
11 120 / 2 / 120, 360, 360, 2, 362
12 268 / 1 / 268, 536, 536, 1, 537

사고력 기르기 Step 1 | 62쪽

01 4, 7, 1, 4, 1, 1, 2, 2, 1
02 9, 5, 3, 0, 6, 2, 2, 0
03 7, 5, 3, 5, 5, 2, 2, 5
04 4, 5, 3, 5, 2, 3, 5, 3, 5
05 6, 4, 5, 2, 4, 3, 2, 3, 2
06 2, 4, 2, 6, 1, 3, 6, 3, 6
07 6, 8, 3, 0, 0, 4, 4, 0
08 8, 9, 6, 2, 3, 5, 6, 6, 3
09 6, 4, 5, 7, 6, 4, 3, 3, 6
10 7, 6, 1, 3, 1, 4, 1, 1, 2, 1
11 8, 7, 2, 6, 2, 2, 2, 2, 1
12 7, 3, 0, 3, 2, 2, 3, 2, 0
13 6, 7, 4, 7, 3, 4, 5, 4, 9
14 5, 6, 4, 5, 2, 4, 5, 4, 8
15 3, 6, 3, 3, 2, 2, 6, 2, 4
16 5, 9, 3, 5, 9, 3, 5, 9, 4
17 8, 9, 6, 2, 5, 5, 5, 6, 3
18 7, 9, 6, 3, 7, 6, 7, 7, 2

사고력 기르기 Step 2 | 64쪽

01 4, 176
02 6, 396
03 7, 539
04 8, 704
05 25
06 20
07 17
08 14
09 2, 3, 4, 6
10 6, 7, 9
11 5, 6, 8, 9
12 5, 6, 9
13 101, 102, 103
14 101, 103, 104
15 103, 106, 111
16 107, 116, 125

05 $100 \div 4 = 25$, $196 \div 4 = 49$
➡ $49 - 25 + 1 = 25$(개)

06 $200 \div 5 = 40$, $295 \div 5 = 59$
➡ $59 - 40 + 1 = 20$(개)

07 $300 \div 6 = 50$, $396 \div 6 = 66$
➡ $66 - 50 + 1 = 17$(개)

08 $406 \div 7 = 58$, $497 \div 7 = 71$
➡ $71 - 58 + 1 = 14$(개)

09 ☆은 나머지보다 큰 수입니다.

13 $101 \div 7 = 14 \cdots 3$
$102 \div 9 = 11 \cdots 3$
$103 \div 4 = 25 \cdots 3$

14 $101 \div 8 = 12 \cdots 5$
$103 \div 7 = 14 \cdots 5$
$104 \div 9 = 11 \cdots 5$

15 $103 \div 8 = 12 \cdots 7$
$106 \div 9 = 11 \cdots 7$
$111 \div 8 = 13 \cdots 7$

16 $107 \div 9 = 11 \cdots 8$
$116 \div 9 = 12 \cdots 8$
$125 \div 9 = 13 \cdots 8$

실력 점검 | 66쪽

01 27, 12, 42, 42 02 35, 21, 35, 35
03 27, 10, 37, 35, 2
04 31, 27, 13, 9, 4
05 28 / 28, 224 06 36 / 36, 144
07 22 / 4 / 22, 154, 154, 4, 158
08 127 / 3 / 127, 762, 762, 3, 765
09 4, 5, 3, 0, 2, 4, 0, 4
10 4, 5, 3, 1, 5, 2, 5, 3, 5
11 6, 4, 2, 5, 8, 2, 8, 1
12 6, 7, 6, 0, 6, 4, 6, 6, 3
13 5, 275 14 2, 3, 5, 6

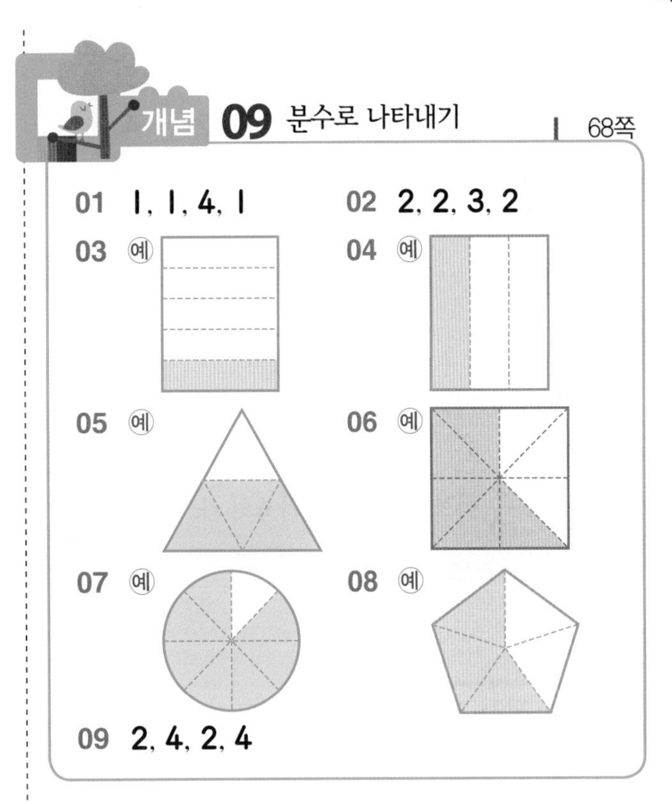

개념 09 분수로 나타내기 | 68쪽

01 1, 1, 4, 1 02 2, 2, 3, 2
03 예 04 예
05 예 06 예
07 예 08 예
09 2, 4, 2, 4

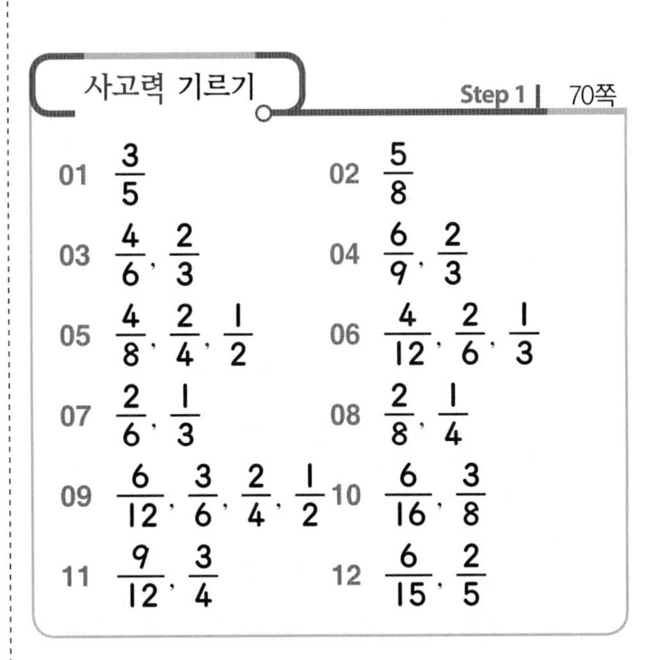

사고력 기르기 Step 1 | 70쪽

01 $\frac{3}{5}$ 02 $\frac{5}{8}$
03 $\frac{4}{6}$, $\frac{2}{3}$ 04 $\frac{6}{9}$, $\frac{2}{3}$
05 $\frac{4}{8}$, $\frac{2}{4}$, $\frac{1}{2}$ 06 $\frac{4}{12}$, $\frac{2}{6}$, $\frac{1}{3}$
07 $\frac{2}{6}$, $\frac{1}{3}$ 08 $\frac{2}{8}$, $\frac{1}{4}$
09 $\frac{6}{12}$, $\frac{3}{6}$, $\frac{2}{4}$, $\frac{1}{2}$ 10 $\frac{6}{16}$, $\frac{3}{8}$
11 $\frac{9}{12}$, $\frac{3}{4}$ 12 $\frac{6}{15}$, $\frac{2}{5}$

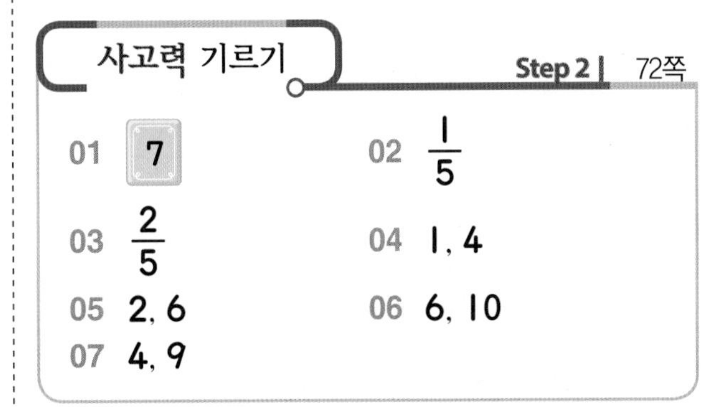

사고력 기르기 Step 2 | 72쪽

01 7 02 $\frac{1}{5}$
03 $\frac{2}{5}$ 04 1, 4
05 2, 6 06 6, 10
07 4, 9

01 $\frac{1}{2}=\frac{2}{4}=\frac{4}{8}$, $\frac{1}{3}=\frac{2}{6}$, $\frac{2}{3}=\frac{4}{6}$, $\frac{1}{4}=\frac{2}{8}$, $\frac{2}{4}=\frac{4}{8}$, $\frac{3}{4}=\frac{6}{8}$, $\frac{1}{5}=\frac{2}{10}$, $\frac{2}{5}=\frac{4}{10}$, $\frac{3}{5}=\frac{6}{10}$, $\frac{4}{5}=\frac{8}{10}$

02 $\frac{1}{5}=\frac{2}{10}$이므로 1의 카드와 10의 카드가 없어 $\frac{1}{5}$은 만들 수 없습니다.

03 $\frac{2}{5}=\frac{4}{10}$이므로 5의 카드와 4의 카드가 없어 $\frac{2}{5}$를 만들 수 없습니다.

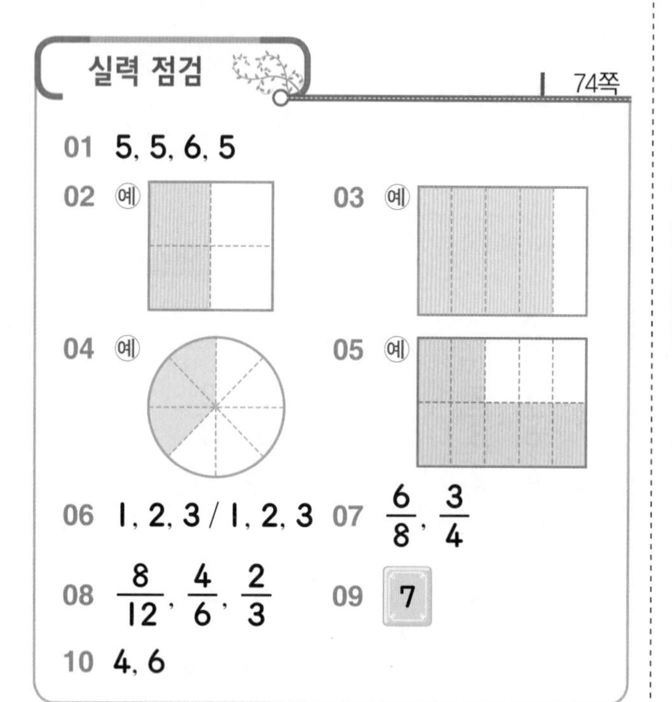

실력 점검 | 74쪽

01 5, 5, 6, 5

02 (예)

03 (예)

04 (예)

05 (예)

06 1, 2, 3 / 1, 2, 3

07 $\frac{6}{8}$, $\frac{3}{4}$

08 $\frac{8}{12}$, $\frac{4}{6}$, $\frac{2}{3}$

09 7

10 4, 6

09 $\frac{1}{2}=\frac{5}{10}$이므로 수 카드 7 은 사용하지 않았습니다.

개념 10 분수만큼은 얼마인지 알아보기 | 76쪽

01 (1) $\frac{1}{6}$ (2) 3 (3) 15

02 (1) 3 (2) 9

03 5

04 12

05 (예)

06 9

07 9

08 3

09 21

10 5

11 24

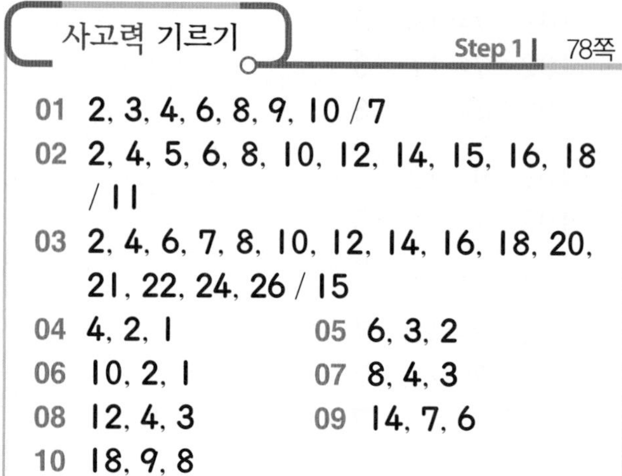

사고력 기르기 Step 1 | 78쪽

01 2, 3, 4, 6, 8, 9, 10 / 7

02 2, 4, 5, 6, 8, 10, 12, 14, 15, 16, 18 / 11

03 2, 4, 6, 7, 8, 10, 12, 14, 16, 18, 20, 21, 22, 24, 26 / 15

04 4, 2, 1

05 6, 3, 2

06 10, 2, 1

07 8, 4, 3

08 12, 4, 3

09 14, 7, 6

10 18, 9, 8

01 $(12의\ \frac{1}{2})=6$, $(12의\ \frac{1}{3})=4$, $(12의\ \frac{2}{3})=8$, $(12의\ \frac{1}{4})=3$, $(12의\ \frac{3}{4})=9$, $(12의\ \frac{1}{6})=2$, $(12의\ \frac{5}{6})=10$

02 $(20의\ \frac{1}{2})=10$, $(20의\ \frac{1}{4})=5$, $(20의\ \frac{3}{4})=15$, $(20의\ \frac{1}{5})=4$, $(20의\ \frac{2}{5})=8$, $(20의\ \frac{3}{5})=12$, $(20의\ \frac{4}{5})=16$, $(20의\ \frac{1}{10})=2$, $(20의\ \frac{3}{10})=6$, $(20의\ \frac{7}{10})=14$, $(20의\ \frac{9}{10})=18$

03 $\left(28의\ \frac{1}{2}\right)=14$, $\left(28의\ \frac{1}{4}\right)=7$,

$\left(28의\ \frac{3}{4}\right)=21$, $\left(28의\ \frac{1}{7}\right)=4$,

$\left(28의\ \frac{2}{7}\right)=8$, $\left(28의\ \frac{3}{7}\right)=12$,

$\left(28의\ \frac{4}{7}\right)=16$, $\left(28의\ \frac{5}{7}\right)=20$,

$\left(28의\ \frac{6}{7}\right)=24$, $\left(28의\ \frac{1}{14}\right)=2$,

$\left(28의\ \frac{3}{14}\right)=6$, $\left(28의\ \frac{5}{14}\right)=10$,

$\left(28의\ \frac{9}{14}\right)=18$, $\left(28의\ \frac{11}{14}\right)=22$,

$\left(28의\ \frac{13}{14}\right)=26$

04 4의 $\frac{1}{2}$은 2입니다.

사고력 기르기

Step 2 | 80쪽

01	1, 2	02	2, 5, 5, 3
03	3, 8, 4, 10	04	3, 9, 5, 12, 7, 18
05	2, 15, 4, 12, 6, 9		
06	5, 21	07	12, 24
08	5, 56, 15, 49, 25, 42		

01 ★이 1이면 12의 $\frac{1}{4}$은 3이므로 20의 $\frac{♥}{5}$는 8입니다.

따라서 20의 $\frac{1}{5}$은 4이므로 8은 20의 $\frac{2}{5}$입니다.

02 ★이 2일 때 14의 $\frac{2}{7}$는 4이고 18의 $\frac{♥}{6}$가 15이므로 ♥는 5입니다.

★이 5일 때 14의 $\frac{5}{7}$는 10이고 18의 $\frac{♥}{6}$는 9이므로 ♥는 3입니다.

03 25의 $\frac{1}{5}$은 5이므로 40의 $\frac{5}{♥}$가 35가 되는 ♥는 없습니다.

25의 $\frac{2}{5}$는 10이므로 40의 $\frac{5}{♥}$가 30이 되는 ♥는 없습니다.

25의 $\frac{3}{5}$은 15이므로 40의 $\frac{5}{♥}$가 25가 되는 ♥는 8입니다.

25의 $\frac{4}{5}$는 20이므로 40의 $\frac{5}{♥}$가 20이 되는 ♥는 10입니다.

04 24의 $\frac{3}{8}$은 9이므로 36의 $\frac{6}{♥}$이 24가 되는 ♥는 9입니다.

24의 $\frac{5}{8}$는 15이므로 36의 $\frac{6}{♥}$이 18이 되는 ♥는 12입니다.

24의 $\frac{7}{8}$은 21이므로 36의 $\frac{6}{♥}$이 12가 되는 ♥는 18입니다.

05 ★이 2일 때 ♥의 $\frac{1}{3}$은 5이므로 ♥는 15입니다.

★이 4일 때 ♥의 $\frac{1}{3}$은 4이므로 ♥는 12입니다.

★이 6일 때 ♥의 $\frac{1}{3}$은 3이므로 ♥는 9입니다.

06 ★이 5일 때 ♥의 $\frac{2}{3}$는 14이므로 ♥는 21입니다.

★이 15일 때 ♥의 $\frac{2}{3}$는 8이므로 ♥는 12입니다. (★>♥이므로 해당되지 않습니다.)

07 ★이 12일 때 ♥의 $\frac{5}{6}$는 20이므로 ♥는 24입니다.

★이 32일 때 ♥의 $\frac{5}{6}$는 5이므로 ♥는 6입니다. (×)

08 ★이 5일 때 ♥의 $\frac{4}{7}$는 32이므로 ♥는 56입니다.

★이 15일 때 ♥의 $\frac{4}{7}$는 28이므로 ♥는 49입니다.

☆이 25일 때 ♡의 $\frac{4}{7}$는 24이므로 ♡는 42입니다.

☆이 35일 때 ♡의 $\frac{4}{7}$는 20이므로 ♡는 35입니다. (×)

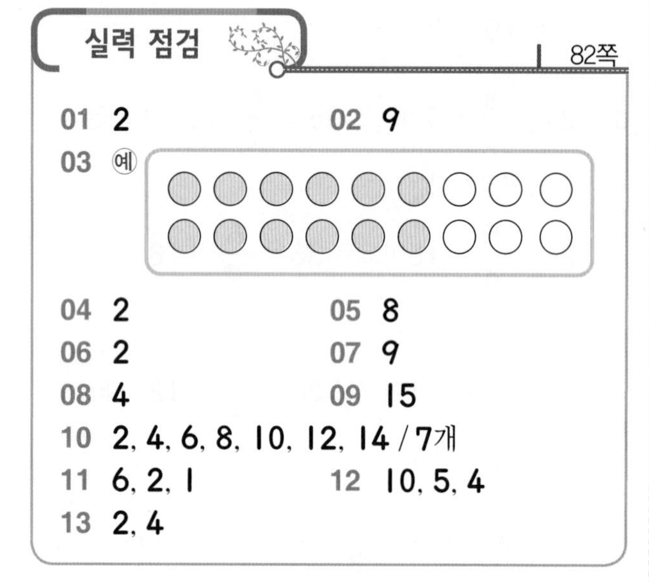

실력 점검 | 82쪽

01 2　　02 9

03 예 (○ 18개 중 12개 색칠)

04 2　　05 8

06 2　　07 9

08 4　　09 15

10 2, 4, 6, 8, 10, 12, 14 / 7개

11 6, 2, 1　　12 10, 5, 4

13 2, 4

10 $\left(16\text{의 } \frac{1}{2}\right)=8$, $\left(16\text{의 } \frac{1}{4}\right)=4$, $\left(16\text{의 } \frac{3}{4}\right)=12$, $\left(16\text{의 } \frac{1}{8}\right)=2$, $\left(16\text{의 } \frac{3}{8}\right)=6$, $\left(16\text{의 } \frac{5}{8}\right)=10$, $\left(16\text{의 } \frac{7}{8}\right)=14$

13 ☆=2, ♡=4일 때 $\left(16\text{의 } \frac{2}{4}\right)=8$, $\left(25\text{의 } \frac{4}{5}\right)=20$이므로 합은 28입니다.

개념 11 여러 가지 분수 알아보기 | 84쪽

01 $\frac{1}{7}$, $\frac{3}{7}$, $\frac{5}{7}$　　02 $\frac{10}{7}$, $\frac{13}{7}$

03 $\frac{7}{7}$　　04 $\frac{7}{7}$

05 $\frac{1}{3}$　　06 $\frac{5}{8}$

07 $\frac{3}{4}$　　08 $\frac{4}{6}$

09 $\frac{5}{2}$　　10 $\frac{7}{4}$

11 $1\frac{2}{3}$　　12 $2\frac{1}{4}$

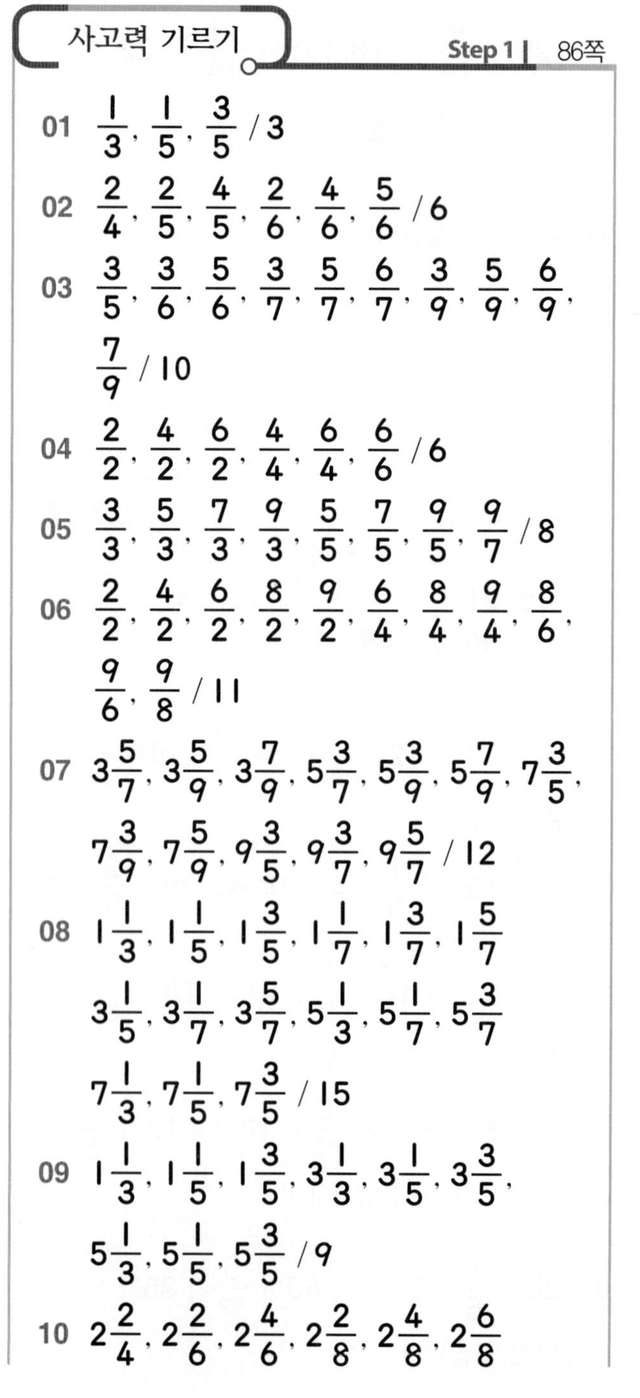

사고력 기르기 Step 1 | 86쪽

01 $\frac{1}{3}$, $\frac{1}{5}$, $\frac{3}{5}$ / 3

02 $\frac{2}{4}$, $\frac{2}{5}$, $\frac{4}{5}$, $\frac{2}{6}$, $\frac{4}{6}$, $\frac{5}{6}$ / 6

03 $\frac{3}{5}$, $\frac{3}{6}$, $\frac{5}{6}$, $\frac{3}{7}$, $\frac{5}{7}$, $\frac{6}{7}$, $\frac{3}{9}$, $\frac{5}{9}$, $\frac{6}{9}$, $\frac{7}{9}$ / 10

04 $\frac{2}{2}$, $\frac{4}{2}$, $\frac{6}{2}$, $\frac{4}{4}$, $\frac{6}{4}$, $\frac{6}{6}$ / 6

05 $\frac{3}{3}$, $\frac{5}{3}$, $\frac{7}{3}$, $\frac{9}{3}$, $\frac{5}{5}$, $\frac{7}{5}$, $\frac{9}{5}$, $\frac{9}{7}$ / 8

06 $\frac{2}{2}$, $\frac{4}{2}$, $\frac{6}{2}$, $\frac{8}{2}$, $\frac{9}{2}$, $\frac{6}{4}$, $\frac{8}{4}$, $\frac{9}{4}$, $\frac{8}{6}$, $\frac{9}{6}$, $\frac{9}{8}$ / 11

07 $3\frac{5}{7}$, $3\frac{5}{9}$, $3\frac{7}{9}$, $5\frac{3}{7}$, $5\frac{3}{9}$, $5\frac{7}{9}$, $7\frac{3}{5}$, $7\frac{3}{9}$, $7\frac{5}{9}$, $9\frac{3}{5}$, $9\frac{3}{7}$, $9\frac{5}{7}$ / 12

08 $1\frac{1}{3}$, $1\frac{1}{5}$, $1\frac{3}{5}$, $1\frac{1}{7}$, $1\frac{3}{7}$, $1\frac{5}{7}$ $3\frac{1}{5}$, $3\frac{1}{7}$, $3\frac{5}{7}$, $5\frac{1}{3}$, $5\frac{1}{7}$, $5\frac{3}{7}$ $7\frac{1}{3}$, $7\frac{1}{5}$, $7\frac{3}{5}$ / 15

09 $1\frac{1}{3}$, $1\frac{1}{5}$, $1\frac{3}{5}$, $3\frac{1}{3}$, $3\frac{1}{5}$, $3\frac{3}{5}$, $5\frac{1}{3}$, $5\frac{1}{5}$, $5\frac{3}{5}$ / 9

10 $2\frac{2}{4}$, $2\frac{2}{6}$, $2\frac{4}{6}$, $2\frac{2}{8}$, $2\frac{4}{8}$, $2\frac{6}{8}$

$4\frac{2}{4}, 4\frac{2}{6}, 4\frac{4}{6}, 4\frac{2}{8}, 4\frac{4}{8}, 4\frac{6}{8}$

$6\frac{2}{4}, 6\frac{2}{8}, 6\frac{4}{8}, 8\frac{2}{4}, 8\frac{2}{6}, 8\frac{4}{6}$ / 18

사고력 기르기

Step 2 | 88쪽

01	3개	02	7개
03	4개	04	5개
05	6개	06	8개
07	4	08	6
09	5	10	8

01 $\frac{1}{2}, \frac{1}{4}, \frac{1}{8}$ ➡ 3개

02 $\frac{1}{3}, \frac{1}{6}, \frac{3}{6}, \frac{1}{9}, \frac{6}{9}, \frac{1}{27}, \frac{6}{27}$ ➡ 7개

03 $\frac{2}{4}, \frac{2}{8}, \frac{2}{16}, \frac{2}{32}$ ➡ 4개

04 $\frac{4}{2}, \frac{6}{2}, \frac{8}{2}, \frac{6}{4}, \frac{8}{6}$ ➡ 5개

05 $\frac{3}{2}, \frac{4}{2}, \frac{6}{2}, \frac{8}{2}, \frac{4}{3}, \frac{8}{3}$ ➡ 6개

06 $\frac{4}{3}, \frac{6}{3}, \frac{8}{3}, \frac{9}{3}, \frac{6}{4}, \frac{9}{4}, \frac{9}{6}, \frac{9}{8}$ ➡ 8개

07 4장의 숫자 카드로 진분수를 만들면 6개를 만들 수 있습니다.
분모에는 가장 큰 수는 3번, 두 번째 큰 수는 2번, 세 번째 큰 수는 1번 사용됩니다.
☆이 5보다 작은 수라 가정하면
$7\times3+5\times2+$☆$=35$에서 ☆은 4입니다.

08 ☆이 두 번째 큰 수라고 가정하면
$9\times3+$☆$\times2+5=44$에서
☆$\times2=12$, ☆$=6$입니다.

09 4장의 숫자 카드로 가분수를 만들면 6개를 만들 수 있습니다.
분모에 가장 작은 수는 3번, 두 번째 작은 수는 2번, 세 번째 작은 수는 1번 사용됩니다.
☆이 3보다 크고 8보다 작은 수라고 하면
$2\times3+3\times2+$♡$=17$, ♡$=5$입니다.

10 ♡가 5보다 크고 9보다 작은 수라고 하면
$3\times3+5\times2+$♡$=27$에서 ♡$=8$입니다.

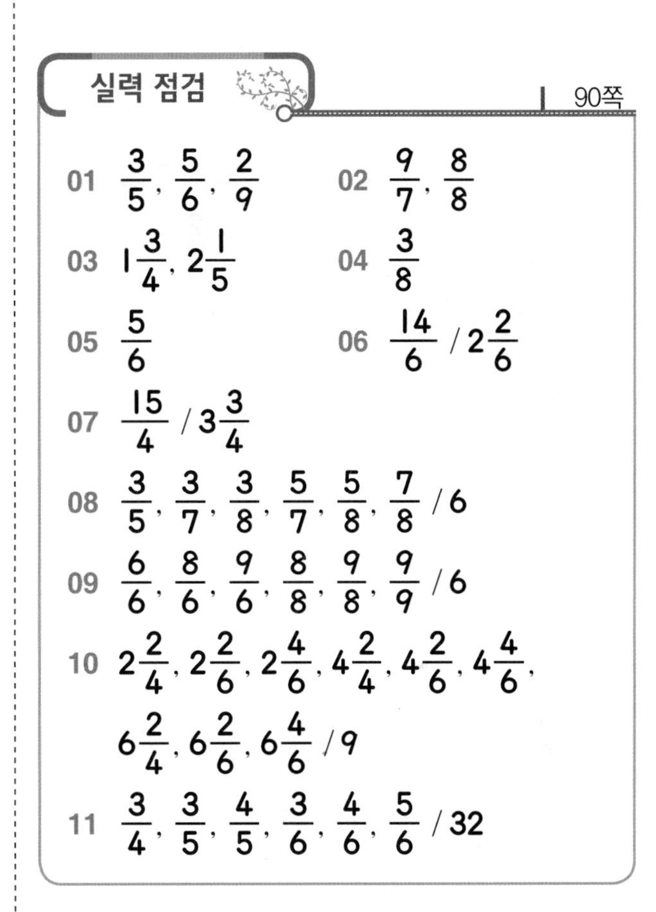

실력 점검

| 90쪽

01 $\frac{3}{5}, \frac{5}{6}, \frac{2}{9}$

02 $\frac{9}{7}, \frac{8}{8}$

03 $1\frac{3}{4}, 2\frac{1}{5}$

04 $\frac{3}{8}$

05 $\frac{5}{6}$

06 $\frac{14}{6}$ / $2\frac{2}{6}$

07 $\frac{15}{4}$ / $3\frac{3}{4}$

08 $\frac{3}{5}, \frac{3}{7}, \frac{3}{8}, \frac{5}{7}, \frac{5}{8}, \frac{7}{8}$ / 6

09 $\frac{6}{6}, \frac{8}{6}, \frac{9}{6}, \frac{8}{8}, \frac{9}{8}, \frac{9}{9}$ / 6

10 $2\frac{2}{4}, 2\frac{2}{6}, 2\frac{4}{6}, 4\frac{2}{4}, 4\frac{2}{6}, 4\frac{4}{6}$, $6\frac{2}{4}, 6\frac{2}{6}, 6\frac{4}{6}$ / 9

11 $\frac{3}{4}, \frac{3}{5}, \frac{4}{5}, \frac{3}{6}, \frac{4}{6}, \frac{5}{6}$ / 32

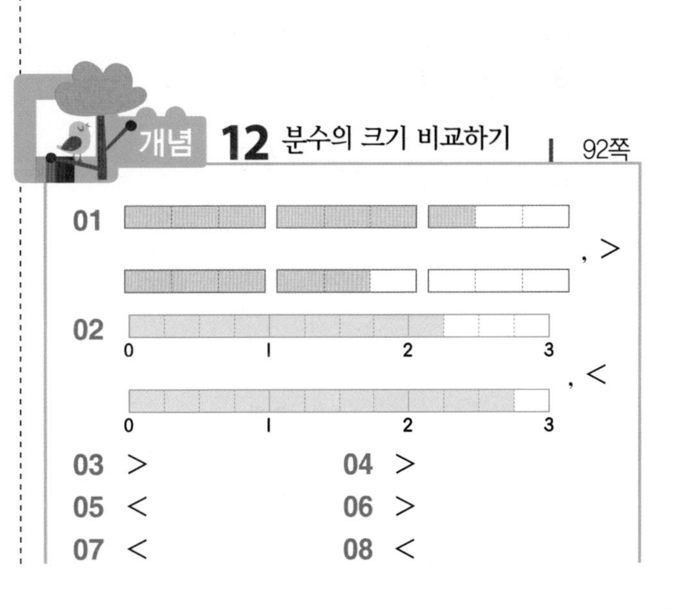

개념 12 분수의 크기 비교하기

| 92쪽

01 , >

02 , <

03	>	04	>
05	<	06	>
07	<	08	<

09 $<$　　10 $<$
11 $<$　　12 $>$
13 $>$　　14 $<$
15 $\frac{26}{14}$, $1\frac{9}{14}$, $1\frac{6}{14}$, $\frac{15}{14}$
16 $2\frac{11}{15}$, $\frac{40}{15}$, $\frac{39}{15}$, $2\frac{8}{15}$

사고력 기르기 Step 1 | 94쪽

01 $\frac{3}{2}$, $1\frac{1}{2}$　　02 $\frac{8}{3}$, $2\frac{2}{3}$
03 $\frac{13}{4}$, $3\frac{1}{4}$　　04 6개
05 12개　　06 3, 4, 5
07 1, 2, 3, 4　　08 3, 4, 5, 6
09 4개　　10 3개
11 4개

04 $5\frac{1}{4}$, $5\frac{2}{4}$, $5\frac{3}{4}$, $5\frac{1}{3}$, $5\frac{2}{3}$, $5\frac{1}{2}$ ➡ 6개

05 $2\frac{3}{4}$, $2\frac{3}{5}$, $2\frac{4}{5}$, $2\frac{3}{6}$, $2\frac{4}{6}$, $2\frac{5}{6}$, $3\frac{2}{4}$, $3\frac{2}{5}$, $3\frac{4}{5}$, $3\frac{2}{6}$, $3\frac{4}{6}$, $3\frac{5}{6}$ ➡ 12개

09 $\frac{7}{2}$, $\frac{9}{2}$, $\frac{10}{2}$, $\frac{10}{3}$ ➡ 4개

10 $\frac{15}{3}$, $\frac{19}{3}$, $\frac{19}{5}$ ➡ 3개

11 $\frac{20}{4}$, $\frac{35}{4}$, $\frac{35}{8}$, $\frac{35}{10}$ ➡ 4개

사고력 기르기 Step 2 | 96쪽

01 2개　　02 3개
03 3개　　04 4개
05 3개　　06 5개
07 17, 1, 18　　08 26, 1, 27
09 62, 1, 63　　10 4, 13, 17
11 11, 46, 57　　12 5, 34, 39

01 $\frac{7}{3}$, $\frac{11}{5}$ ➡ 2개

02 $\frac{9}{4}$, $\frac{10}{4}$, $\frac{20}{9}$ ➡ 3개

03 $\frac{7}{3}$, $\frac{8}{3}$, $\frac{15}{7}$ ➡ 3개

04 $\frac{5}{2}$, $\frac{9}{4}$, $\frac{11}{4}$, $\frac{11}{5}$ ➡ 4개

05 $\frac{13}{5}$, $\frac{27}{10}$, $\frac{27}{13}$ ➡ 3개

06 $\frac{5}{2}$, $\frac{12}{5}$, $\frac{14}{5}$, $\frac{29}{12}$, $\frac{29}{14}$ ➡ 5개

07 가장 작은 ♥는 1이므로 $5\frac{1}{3}=\frac{16}{3}$에서 ☆은 16보다 1 큰 수인 17입니다.

08 가장 작은 ♥는 1이므로 $3\frac{1}{8}=\frac{25}{8}$에서 ☆은 25보다 1 큰 수인 26입니다.

09 가장 작은 ♥는 1이므로 $4\frac{1}{15}=\frac{61}{15}$에서 ☆은 61보다 1 큰 수인 62입니다.

10 ☆이 4일 때 $2\frac{4}{5}=\frac{14}{5}$이므로 ♥는 13입니다.

11 ☆이 11일 때 $3\frac{11}{12}=\frac{47}{12}$이므로 ♥는 46입니다.

12 ☆이 5일 때 $5\frac{5}{6}=\frac{35}{6}$이므로 ♥는 34입니다.

실력 점검 | 98쪽

01
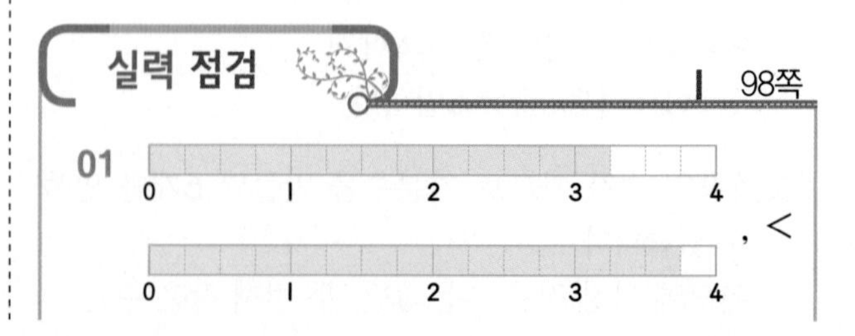

02 >　03 <
04 <　05 >
06 <　07 >
08 <　09 >
10 $2\frac{1}{7}$, $\frac{13}{7}$, $1\frac{5}{7}$, $\frac{9}{7}$
11 $1\frac{3}{4}$, $\frac{7}{4}$　12 $1\frac{2}{7}$, $\frac{9}{7}$
13 4개　14 5개
15 56, 1, 57

13 $\frac{7}{3}$, $\frac{8}{3}$, $\frac{9}{3}$, $\frac{9}{4}$ ➡ 4개

14 $\frac{6}{2}$, $\frac{7}{2}$, $\frac{9}{2}$, $\frac{7}{3}$, $\frac{9}{3}$ ➡ 5개

15 가장 작은 ♡는 1이므로 $6\frac{1}{9}=\frac{55}{9}$에서 ☆은 55보다 1 큰 수인 56입니다. ➡ $56+1=57$

개념 13 들이의 합과 차 알아보기 | 100쪽

01 550, 6, 550　02 350, 2, 350
03 8, 900　04 5, 200
05 5 L 900 mL　06 5 L 100 mL
07 8 L 200 mL　08 5 L 800 mL
09 10 L 100 mL　10 6 L 700 mL
11 6 L　12 5 L 300 mL
13 8 L 200 mL　14 1 L 800 mL
15 7 L 300 mL　16 5 L 800 mL
17 12 L 950 mL　18 2 L 950 mL

사고력 기르기 Step 1 | 102쪽

01 2, 500　02 450, 2
03 5, 250　04 150, 1
05 4, 50　06 250, 2
07 5, 800　08 550, 2
09 1, 350　10 450, 4
11 2, 450　12 750, 2
13 5, 500　14 250, 3
15 6, 150　16 700, 2
17 7, 450　18 250, 6
19 6, 800　20 700, 2
21 8, 900　22 150, 4
23 6, 750　24 650, 3

사고력 기르기 Step 2 | 104쪽

01 4, 5, 7, 6 / 4, 6, 7, 5 / 5, 4, 6, 7 / 5, 7, 6, 4 / 6, 4, 5, 7 / 6, 7, 5, 4 / 7, 5, 4, 6 / 7, 6, 4, 5
02 4, 1, 2 / 4, 2, 1 / 5, 1, 3 / 5, 3, 1
03 1, 200, 2, 500, 3, 700
/ 1, 200, 3, 600, 4, 800
/ 2, 500, 3, 600, 6, 100
/ 2, 500, 1, 200, 1, 300
/ 3, 600, 1, 200, 2, 400
/ 3, 600, 2, 500, 1, 100
04 1, 200, 2, 500, 3, 600, 100
/ 1, 200, 3, 600, 2, 500, 2, 300
/ 2, 500, 3, 600, 1, 200, 4, 900
/ 1, 200, 2, 500, 3, 600, 7, 300

실력 점검 | 106쪽

01 800, 5, 800　02 500, 5, 500
03 6 L 300 mL　04 4 L 800 mL
05 8 L 800 mL　06 5 L 750 mL
07 10 L 300 mL　08 4 L 600 mL
09 9 L 100 mL　10 5 L 900 mL
11 10 L 350 mL　12 2 L 500 mL
13 3, 700　14 900, 6
15 7, 800　16 250, 3
17 3, 1, 1 / 5, 2, 2 / 7, 3, 3 / 9, 4, 4

개념 14 무게의 합과 차 알아보기 | 108쪽

01 650, 5, 650
02 450, 4, 450
03 6, 800
04 5, 150
05 6 kg 900 g
06 2 kg 200 g
07 9 kg 550 g
08 3 kg 850 g
09 10 kg 500 g
10 4 kg 950 g
11 5 kg 650 g
12 2 kg 200 g
13 8 kg 200 g
14 3 kg 850 g
15 12 kg 600 g
16 2 kg 450 g
17 19 kg 50 g
18 4 kg 850 g

사고력 기르기 Step 1 | 110쪽

01 1, 200
02 500, 3
03 4, 300
04 250, 2
05 2, 450
06 750, 6
07 3, 450
08 250, 2
09 4, 950
10 500, 3
11 6, 350
12 650, 4
13 5, 300
14 700, 2
15 5, 150
16 850, 3
17 8, 100
18 850, 5
19 9, 800
20 500, 4
21 8, 950
22 100, 1
23 6, 900
24 400, 1

사고력 기르기 Step 2 | 112쪽

01 1, 3, 5 / 1, 5, 7 / 1, 7, 9 / 3, 5, 9
02 6, 3, 2 / 7, 4, 2 / 8, 5, 2 / 9, 6, 2
03 100, 120, 220 / 120, 100, 20
100, 200, 300 / 200, 100, 100
120, 200, 320 / 200, 120, 80
04 100, 120, 200, 20
/ 100, 200, 120, 180
/ 120, 200, 100, 220
/ 100, 120, 200, 420

실력 점검 | 114쪽

01 500, 4, 500
02 150, 4, 150
03 8 kg 100 g
04 5 kg 700 g
05 8 kg 300 g
06 5 kg 800 g
07 4 kg 350 g
08 3 kg 850 g
09 8 kg 300 g
10 4 kg 800 g
11 11 kg 50 g
12 8 kg 850 g
13 4, 450
14 700, 2
15 7, 800
16 300, 5
17 1, 3, 5 / 1, 5, 7 / 1, 7, 9 / 3, 5, 9